中华人民共和国国家标准

电子会议系统工程施工与质量验收规范

Code for construction and quality acceptance of the electronical conference systems

GB 51043 - 2014

主编部门：中华人民共和国工业和信息化部
批准部门：中华人民共和国住房和城乡建设部
施行日期：2 0 1 5 年 8 月 1 日

中国计划出版社

2014 北 京

中华人民共和国国家标准
电子会议系统工程施工与
质量验收规范
GB 51043-2014
☆
中国计划出版社出版
网址：www.jhpress.com
地址：北京市西城区木樨地北里甲11号国宏大厦C座3层
邮政编码：100038　电话：(010) 63906433 (发行部)
新华书店北京发行所发行
北京市科星印刷有限责任公司印刷

850mm×1168mm　1/32　3.5印张　88千字
2015年5月第1版　2015年5月第1次印刷
☆
统一书号：1580242·588
定价：21.00元

中华人民共和国住房和城乡建设部公告

第 658 号

住房城乡建设部关于发布国家标准《电子会议系统工程施工与质量验收规范》的公告

现批准《电子会议系统工程施工与质量验收规范》为国家标准，编号为 GB 51043—2014，自 2015 年 8 月 1 日起实施。其中，第 4.4.1(6、8、9)、5.2.2(3)、6.6.2(2)、7.1.7 条(款)为强制性条文，必须严格执行。

本规范由我部标准定额研究所组织中国计划出版社出版发行。

中华人民共和国住房和城乡建设部

2014 年 12 月 2 日

前　言

本规范是根据住房城乡建设部《关于印发〈2009年工程建设标准规范制订、修订计划〉的通知》（建标〔2009〕88号）要求，由工业和信息化部电子工业标准化研究院电子工程标准定额站和北京奥特维科技有限公司会同有关单位共同编制而成。

本规范在编制过程中，编制组进行了广泛的调查研究，认真总结实践经验，参考国内外有关的标准，并在广泛征求意见的基础上，最后经审查定稿。

本规范共分11章和3个附录，主要技术内容包括：总则，术语和缩略语，基本规定，施工准备，管线施工，设备安装，会议室、控制室施工安装，系统调试，系统试运行，工程质量检测和竣工验收等。

本规范中以黑体字标志的条文为强制性条文，必须严格执行。

本规范由住房城乡建设部负责管理和强制性条文的解释，由工业和信息化部负责日常管理，由北京奥特维科技有限公司负责具体技术内容的解释。在本规范的执行过程中，请各单位结合工程实践，认真总结经验，如发现需要修改和补充之处，请将意见和有关资料寄至北京奥特维科技有限公司（地址：北京市朝阳区酒仙桥北路乙七号，邮政编码：100015），以供今后修订时参考。

本规范主编单位、参编单位、主要起草人和主要审查人：

主编单位：工业和信息化部电子工业标准化研究院电子工程标准定额站

北京奥特维科技有限公司

参编单位：深圳市台电实业有限公司

中国电子科技集团公司第三研究所

中国建筑设计研究院

中国电子科技集团公司第二十二研究所天博信息系统工程公司

北京世纪伟臣科技发展有限公司

北京真视通科技股份有限公司

浙江一舟电子科技股份有限公司

北京捷通机房设备工程有限公司

中国机房设施工程有限公司

北京中电兴发科技有限公司

北京彩讯科技股份有限公司

深圳锐取信息技术股份有限公司

主要起草人: 刘　芳　薛长立　张文才　陈　琪　杜宝强　孙　雷　杨　波　侯移门　张雁鸣　潘凯群　金　楠　周　辉　张佩华　陈　超　季　中　谢　宏　肖必龙

主要审查人: 郭维钧　崔广中　张　宜　陈建利　毛剑英　朱立彤　彭兴隆　陆鹏飞　季维国

目　　次

Contents

1 总 则

1.0.1 为规范电子会议系统工程的施工和验收，保障工程质量，贯彻国家技术经济政策，坚持以人为本，做到安全可靠、节能环保、技术先进、维护管理方便，制定本规范。

1.0.2 本规范适用于新建、扩建、改建电子会议系统工程的施工和质量验收。

1.0.3 电子会议系统工程的施工和验收除应执行本规范外，尚应符合国家现行有关标准的规定。

2 术语和缩略语

2.1 术 语

2.1.1 响度 loudness

听觉判断声音强弱的属性。

2.1.2 声反馈 acoustical feedback

在扩声系统中，音箱发出的部分声能反馈到传声器的效应。

2.1.3 声干扰 acoustic disturbance

由建声环境引起的各种回声、机械震动声以及染色声等声缺陷。

2.1.4 菊花链式会议讨论系统 daisy chain conference discussion system

各会议单元以“菊花链”连接方式通过一根信号电缆连接到会议系统控制主机的一种会议讨论系统。

2.1.5 星型式会议讨论系统 star topology conference discussion system

一种由各传声器以“星型”连接方式连接到传声器控制装置组成的会议讨论系统。

2.1.6 编码器 coder

将信号或数据进行编制、转换为可用于通信、传输和存储的设备。

2.1.7 解码器 decoder

为了恢复原始信号对编码数字序列进行逆处理的解码设备。

2.2 缩 略 语

2.2.1 LED(Light Emitting Diode)发光二极管

2.2.2 IP(Internet Protocol)因特网通信协议

3 基本规定

3.0.1 电子会议系统工程的实施应包括施工准备、管线施工、设备安装、会议室及控制室施工安装、系统调试、系统试运行、工程质量检测和竣工验收。

3.0.2 电子会议系统工程的施工应符合设计要求。

4 施工准备

4.1 一般规定

4.1.1 施工单位应在进场施工前检查施工现场，并应确认施工对象具备下列条件：

1 作业场地中影响施工的各种障碍物和杂物应已清除。

2 施工现场供电应满足施工要求，并应符合国家现行标准《建设工程施工现场供用电安全规范》GB 50194和《施工现场临时用电安全技术规范》JGJ 46中施工的有关规定。

3 作业环境应符合防火要求。

4 吊装和承重部件结构应符合设备吊装要求。

4.1.2 设计单位应对施工单位进行设计交底，并应做好交底记录。

4.1.3 施工单位应确定与其他专业的配合施工关系，划定工作界面，并应做好预留管槽、插座底盒、预埋件和隐蔽工程等交接工作。

4.1.4 施工前应检查施工使用的机械、仪器仪表和工具是否齐备、完好，仪器应在标定的有效使用期内。

4.2 施工资料要求

4.2.1 施工技术文件资料应包括深化设计施工图和施工组织设计。

4.2.2 深化设计施工图应包括设计说明、系统图、控制原理图、设备清单、主要材料清单、会议室及控制室设备平面布置图、管线平面图、设备安装图及安装大样图。

4.2.3 施工组织设计应包括编制说明及编制依据、工程概况及施工范围、项目组织管理结构、施工工期进度计划、质量管理措施、安全文明施工措施、环境保护保证措施、拟投入劳动力、机械设备仪器仪表、实施方案、施工工艺、风险分析、应急方案。

4.2.4 施工技术文件资料应由设计单位、监理单位和建设单位会审并批准后使用。

4.2.5 施工单位应严格按会审批准后的深化设计施工图和施工组织设计等技术文件资料进行施工,不得随意更改;确需调整和变更时,应填写本规范表A.0.1,并应经批准后方可施工。

4.3 设备及材料进场检验

4.3.1 设备、材料进场检验,应填写本规范表A.0.2或填写由监理单位提供的设备材料进场报验单,并应进行清点、查验和分类。

4.3.2 设备、材料进场应开箱检验,设备名称、型号、规格、数量、产地等应符合设计要求,外观应完好无损,技术文件资料及配件应齐全。

4.3.3 有源设备应通电检测其功能、技术性能指标,检测结果应符合设计要求;对现场不具备检测条件的设备,应由生产厂家或国家认可的检测机构出具产品检测报告。

4.3.4 硬件设备及材料的质量检查内容应包括安全性、可靠性及电磁兼容性项目。

4.3.5 软件产品质量检验应符合下列规定:

1 操作系统、数据库管理系统、应用系统软件、信息安全软件和网管软件等商业化的软件,应进行使用许可证及使用范围的查验。

2 应对系统承包商编制的用户应用软件版本进行查验,其应用软件功能应符合设计要求,技术文件资料应齐全。

4.3.6 进口产品除应执行本规范第4.3.1条~第4.3.5条的规定外,尚应提供原产地证明、报关单和使用及维护说明书等文件资料,安装、使用与维护说明书宜为中文文本或附中文译文。

4.4 安全文明与环境管理

4.4.1 安全操作应符合下列要求：

1 施工人员在进场前应进行安全文明教育。

2 施工现场室外运输和搬运，在气候条件恶劣的情况下，应采取有效的防护措施，保护设备及器材不受潮湿和损坏。室内搬运时，应具备良好的照明条件和安全保护措施。

3 搬运重大物体，应遵守起重搬运工作安全操作规程的规定与要求。

4 搬运过程中应注意保护建筑物周围和建筑物内部设施的完好，必要时应做好防护措施。

5 交叉作业时应注意周围环境，禁止随意堆放工具和材料。

6 高空作业时，必须采取安全措施。

7 沟、槽、坑、洞及危险场所应设置红灯示警。

8 各种电动机械设备，必须有可靠安全接地，传动部分必须有防护罩。

9 电动工具必须设置单独防触电剩余电流保护开关。

10 设备通电调试前，应检查线路接线是否正确，确认无误后，方可通电调试。

4.4.2 环保措施应符合下列要求：

1 施工现场的垃圾、废料应分类堆放在指定地方，及时清运并洒水降尘，严禁随意抛撒。

2 现场强噪声施工机具，应采取相应措施，最大限度地降低噪声。

5 管线施工

5.1 一般规定

5.1.1 本规定适用于电子会议系统工程管线施工的质量控制。

5.1.2 电子会议系统工程的管线施工范围可包括会议讨论、会议同声传译、会议表决、会场出入口签到管理、会议扩声、会议显示、会议摄像、会议录播和集中控制系统分项工程的导管、槽盒及其线缆的敷设。

5.2 管线敷设

5.2.1 管线敷设应符合现行国家标准《电子会议系统工程设计规范》GB 50799、《电气装置安装工程电缆线路施工及验收规范》GB 50168、《综合布线系统工程设计规范》GB 50311 和《综合布线系统工程验收规范》GB 50312 的有关规定。

5.2.2 导管的敷设应符合下列规定：

1 外观检查应包括金属导管无压扁、内壁光滑、无锈蚀、镀层覆盖完整、表面无锈斑；绝缘管及配件无碎裂、表面有阻燃标记和制造厂家标识。

2 应按制造标准现场抽样检测导管的管径、壁厚及均匀度。对绝缘导管及配件的阻燃性能有异议时，应按批次抽样送国家认可的检测机构进行检测。

3 线缆布放后，敷设在竖井内和穿越不同防火分区墙体与楼板的穿管管路孔洞及线缆的空隙处必须进行防火封堵。

5.2.3 槽盒、托盘的外观检查应包括部件齐全，表面光滑无毛刺、不变形；钢制槽盒、托盘涂层应完整，无锈蚀；玻璃钢槽盒、托盘应色泽均匀，无破损碎裂；铝合金槽盒、托盘涂层应完整。

5.2.4 槽盒、托盘的安装应符合下列规定：

1 首先应进行测量定位，安装槽盒、托盘的支架，经检查确认完好后，方可安装。

2 槽盒、托盘定位与安装应符合设计要求。

5.2.5 导管、槽盒、托盘和沟内的线缆敷设应符合下列规定：

1 导管、槽盒、托盘和沟内无杂物后，方可敷设线缆。

2 线缆敷设前应进行绝缘测试，合格后方可进行敷设。

3 导管、槽盒就近接地(PE)完成，经检查确认，方可敷设线缆。

4 与导管、槽盒连接的柜、屏、台、箱、盘安装完成，经检查确认合格，方可通过拉线穿入线缆或敷设线缆。

5 穿放线缆的管径利用率应符合设计要求，如设计无要求时，直线管路的管径利用率应为40%～50%；弯管管路的管径利用率应为25%～30%；槽盒的截面利用率不应大于50%。

6 超过50V的不同系统或电压等级的线路，不应穿在同一导管内，在同一槽盒内敷设时，应采用隔板隔开。

7 导线在导管、槽盒内，不应有接头或扭结。导线的接头，应在接线盒内焊接或用接线端子连接。

8 线缆穿入导管后，终端管口应安装线管护口加以保护。

9 孔洞内管口、竖井内非终端导管管口、导管穿过防火隔离物体等，应做防潮及防水等处理。

10 导管内穿入多根线缆时，线与缆之间不得相互拧绞，导管内不得有线间接头，线间接头应在接线盒处连接。

11 导管不能直接敷设到位时，出线端口与设备接线端子之间应采用可弯曲金属导管连接，不得将线缆直接裸露。

12 多种线缆共沟布放时，除设计要求外，音频线与电源线宜布放在沟底两侧，信号线、控制线宜居中布放，并应与电源线分开布放。

13 槽盒与托盘内布放线缆应排列整齐，不应拧绞，宜减少交叉点;交叉处应按粗线在下,细线在上分布。

14 当槽盒或托盘内布放的线缆处于坡度较大或垂直状态时,应将线缆分段绑扎固定。

15 进入机架的线缆应进行分类绑扎固定。

16 室内或室外明敷线缆应采用塑料管、热镀锌或喷塑钢管保护,并应做防水处理。

17 敷设的线缆应排列整齐、横平竖直,弯曲时的弯曲半径宜为线缆护套外径的 4 倍～10 倍,并应采用线卡固定。垂直敷设时线卡间距离不应大于 1.5m,水平敷设时宜每间隔 5m～10m 处设线卡固定。

18 敷设的线缆路由选择应避免高温、高压、潮湿及强烈机械振动的位置。

19 带有护套的线缆进入设备、接线箱、盒等连接,应将护套层引入其内。

20 线缆交接试验合格,且对接线去向和相位等检查确认后,方可通电。

5.2.6 线缆接续应符合下列规定:

1 线缆接续前,应将已布放的线缆再次进行对地绝缘、线间绝缘及导通检查,检查结果应做详细记录。

2 应检查布放到位的线缆编号与接线端子号是否相符合,相位是否正确。

3 线缆接续时,宜预留 100mm～500mm 的余量,线缆排列应整齐,弯曲弧度应一致。

4 焊接线缆芯线时,剥去屏蔽层后裸露的长度不得大于 30mm,不得使用酸性焊剂焊接。线缆焊接完成后,应将裸露部分进行恢复性屏蔽处理。

5 线芯焊接或压接时,应选用与芯线截面积相等的接线鼻,独股的芯线可将线头镀锡后插接或煨钩连接。

6 焊点焊锡应饱满光滑,不得有虚焊现象,焊点应处理干净,接点处应采用相应的塑料套管或热缩套管保护。

7 对绞线缆接续时，应保持对绞线对的绞合，开绞长度不应超过 13mm。

8 光缆接续应采用在光纤接线点处做机械连接或在光纤连接盒内对光纤进行熔接，光纤熔接处应加以保护和固定。

9 线缆两端应做线向标记。

5.2.7 线缆终接应符合下列规定：

1 线缆终接应使用专用的工具。

2 同一系统中，线缆脚位及色标应一致，同一脚位使用的线缆色标应一致。

3 采用焊接方式终接时，焊点应符合本规范第 5.2.6 条第 6 款的规定。

4 线缆终接长度在控制台、机柜、配线箱和分线盒处宜预留 500mm～1000mm 的余量；在设备端或信息面板处宜预留 100mm～300mm 的余量。

5 线缆终接时，芯线剥去屏蔽层后裸露的长度应在 30mm 以下，且裸露的芯线应在终接设备屏蔽之内。

6 同一系统中线缆接续时应保证相位一致，与接插件连接应符合线号、线位色标的要求，不得颠倒错接。

7 线缆终接应采用适配的接插件。

8 音频信号设备间平衡与非平衡接插件的终接应符合设计要求。

9 光缆应采用尾纤熔接或机械制作光纤连接器进行终接。光纤终接在连接盒中的弯曲半径及预留长度应符合安装的工艺要求。

10 线缆终端盒面板应有标识，标识应正确、清晰和耐久。

11 线缆终接完成后应进行通断或传输性能指标测试。

5.2.8 会议扩声系统线缆的敷设及信号连接方式应符合下列规定：

1　定阻输出的会议扩声系统宜选用线径为 $2mm^2$～$6mm^2$ 的两芯护套线穿管敷设。

2　定压输出的会议扩声系统宜选用线径为 $1.5mm^2$～$2.5mm^2$ 的两芯护套线穿管敷设。

3　定阻输出的传声器输出宜为平衡输出，定压输出的传声器输出宜为非平衡输出。

4　传声器到调音台或前置放大器的连接宜采用双芯屏蔽线缆平衡连接。

5　非平衡输出至平衡输入、平衡输出至平衡输入的连接宜采用双芯屏蔽线缆。

5.3　管线施工随工查验

5.3.1　管线施工的验收应符合现行国家标准《建筑电气工程施工质量验收规范》GB 50303、《电气装置安装工程电缆线路施工及验收规范》GB 50168 和《综合布线系统工程验收规范》GB 50312 中的有关规定。

5.3.2　线缆查验应符合下列规定：

1　管线敷设应符合施工图的要求。

2　线路的标识应完整、准确、清晰和耐久。

3　每个回路的线缆绝缘电阻应符合设计要求。

4　兆欧表的电压等级应按现行国家标准《电气装置安装工程电气设备交接试验标准》GB 50150 的有关规定执行。

5.3.3　隐蔽工程记录应符合下列规定：

1　根据布管、穿线的施工过程和随工检验情况，应在图纸上进行隐蔽工程详细记录。

2　隐蔽工程的施工应按本规范表 A.0.3 的要求，做好隐蔽工程验收记录。

6 设备安装

6.1 一般规定

6.1.1 电子会议系统设备的安装可分为准备工作阶段和系统设备安装阶段。

6.1.2 电子会议系统设备安装的准备工作应符合下列规定：

1 安装施工人员应持证上岗，安装施工前应对施工人员进行技术交底和安全生产教育，并应有书面记录。

2 应检查安装施工现场电源、接地、照明、插座等是否符合安全施工的要求，并应对进场设备及线缆等材料进行复查。

3 应对有源设备进行通电检查其功能与性能，各项功能、性能应符合设计要求。

4 应根据设计文件进行安装现场的勘察，对系统设备、线缆、梯架、槽盒、托盘、线管、接线箱、预留预埋件等安装条件和预留条件、位置、负荷承重等进行现场核实确认。存在问题时，应与相关设计人员和相关专业施工单位进行协商修改并办理设计变更，并应填写本规范表 A.0.1。

5 设备安装所需的非标准构件应根据设计要求进行设计，非标准构件的加工图纸应经设计人员确认。

6 应复查线缆的标识是否清晰、完整、准确、耐久。

7 应使用专用测试仪器对所有线缆进行通断测试，并应使用兆欧表测量所有线缆之间和线缆与地之间的绝缘电阻，其阻值不应小于 20MΩ。

8 安装设备的型号、规格、数量、位置和安装方式，应符合设计要求。

9 应与装修单位进行有关工程进度、施工界面、产品选型、安装工序等方面的协调。

6.1.3 电子会议系统设备的安装可包括会议讨论、会议同声传译、会议表决、会场出入口签到管理、会议扩声、会议显示、会议摄像、会议录播、集中控制系统和控制室设备的安装。

6.1.4 电子会议系统设备的安装应符合设计要求。

6.1.5 控制室设备的安装应符合下列规定：

1 控制台和机柜设备的安装位置、排列顺序应符合设计要求。

2 控制台和机柜上设备面板应排列整齐，面板螺钉应拧紧。带轨道的设备应推拉灵活。

6.2 会议讨论系统

6.2.1 会议讨论系统设备的安装可包括有线会议讨论系统和无线会议讨论系统设备的安装。

6.2.2 有线会议讨论系统设备安装应包括有线会议单元、控制主机和系统管理软件的安装。

6.2.3 无线会议讨论系统设备安装应包括无线会议单元、控制主机、信号收发器和系统管理软件的安装。

6.2.4 有线会议单元安装应符合下列规定：

1 嵌入式会议单元安装应符合下列规定：

1)应向家具厂家提供产品说明、安装手册及具体开孔位置、尺寸、深度和走线方式。

2)应提供桌面、座椅后背或扶手内的具体安装要求。

2 移动式安装的有线会议单元之间连接线缆长度应留有一定余量，并应做好线缆的固定。

3 菊花链式会议讨论系统中，会议单元的安装应符合下列规定：

1)会议单元之间线缆的应牢固可靠。

2)每路线缆连接的会议单元总功耗及延长线功率损耗之和

应符合设计要求。

3)单条延长线缆长度应小于设备的规定长度。超过规定长度,应在规定长度以内设置中继器。

4 星型式会议讨论系统中,应采用屏蔽线缆连接传声器和控制处理装置。

6.2.5 无线会议单元、信号收发器的安装应符合下列规定:

1 信号收发器的供电电压应稳定。

2 信号收发器安装的高度和方向应符合设计要求,不应有接收盲区。

3 红外线会议讨论系统中,红外线信号收发器的安装还应符合下列规定:

1)红外线信号收发器的安装位置应避免墙壁、柱子及其他障碍物对信号的发射和接收形成遮挡。

2)同一会场内的各个红外线信号收发器到会议控制主机之间的线缆长度应等长。

3)各红外线信号收发器到会议控制主机之间的线缆长度不应超过设备的规定长度,与电力线缆平行敷设时,其间距应大于或等于0.3m。

4 射频会议讨论系统的设备安装应符合下列规定:

1)应确保会场附近没有与本系统相同或相近频段的射频设备工作。

2)射频会议单元和射频信号收发器的安装位置周围应避免有大面积金属物品和电器设备的干扰。

5 信号收发器进行初步安装后,应通电检测各项功能,音频接收质量应符合设计要求,固定应牢固可靠。

6 所有要求及所提供的相关技术资料,应由相关单位签字确认并记录存档。

6.2.6 控制室设备的安装应符合下列规定:

1 控制室设备可包括会议系统控制主机、自动混音台、媒体矩阵等。

2 所有控制室设备应按设计布局要求，安装于控制室的标准机柜内或置放于操作台面上，其安装应牢固可靠。

3 机柜或操作台内线缆应绑扎成束，排列整齐，并宜留有余量。线缆标识应清晰、准确、耐久。

6.2.7 系统管理软件应按设计要求安装于控制主机内，且应正常可靠地工作。

6.3 会议同声传译系统

6.3.1 会议同声传译系统设备的安装可包括有线和无线会议同声传译系统设备的安装。

6.3.2 有线会议同声传译系统设备的安装应包括翻译单元、会议系统控制主机、通道选择器和耳机的安装。

6.3.3 红外线同声传译系统设备的安装应包括翻译单元、红外发射主机、红外辐射单元、红外接收单元和耳机的安装。

6.3.4 有线会议同声传译系统设备的安装应符合下列规定：

1 翻译单元的安装应符合下列要求：

1)翻译单元的安装应符合设计要求。

2)翻译单元应置放于同声传译室内操作台面上，其安装应稳定可靠，并应易于翻译员现场操作。

2 会议系统控制主机、通道选择器的安装应符合本规范第6.2.4条和第6.2.6条的有关规定。

3 耳机的连接应符合现行国家标准《红外线同声传译系统工程技术规范》GB 50524的有关规定。

4 同声传译室的设备安装除应按现行国家标准《红外线同声传译系统工程技术规范》GB 50524的有关规定执行外，尚应符合下列规定：

1)翻译员应清楚地看到主席台和观众席的主要部分，并宜看清发言人的口型和节奏变化以及发言者使用会议显示设备显示的内容。固定式同声传译室的观察窗宜采用双层中空玻璃隔声窗。

2)同声传译室与机房间应设有联络信号,同声传译室室外应设置译音工作指示信号。

3)同声传译室内的背景噪声和隔声量应符合现行国家标准《红外线同声传译系统工程技术规范》GB 50524 的有关规定。

4)同声传译室的空调设施消声处理应符合设计要求。

6.3.5 红外线同声传译系统的设备安装除应按现行国家标准《红外线同声传译系统工程技术规范》GB 50524 的有关规定外,尚应符合下列规定:

1 红外辐射单元的安装应符合下列规定:

1)应避免阳光直射。

2)应远离照明设备。

3)应避免墙壁、柱子及其他障碍物形成红外的遮挡。

4)宜使每个红外接收单元与一个以上辐射单元通信。

5)应充分利用房间的高度,安装在代表座位上方的天花板或支撑结构上,固定应牢固可靠。

6)壁挂式安装时,应先在墙壁上进行定位,再将安装支架固定在墙壁上,安装固定应牢固可靠。

7)吸顶式安装时,应先在天花板上进行定位,再将安装支架固定在天花板上。

8)红外辐射单元的光辐射面不应有损伤,其安装固定应牢固可靠。

2 翻译单元的安装应符合本规范第 6.3.4 条第 1 款的要求。

3 耳机的连接应符合本规范第 6.3.4 条第 3 款的要求。

4 同声传译室的安装应符合本规范第 6.3.4 条第 4 款的要求。

6.4 会议表决系统

6.4.1 表决系统设备的安装应包括表决器、会议表决主机和系统管理软件的安装。

6.4.2 表决器的安装应符合下列规定：

1 表决器的安装应符合设计要求。

2 表决器的安装应符合本规范第6.2.4条和第6.2.5条的相关要求。

6.4.3 会议表决主机的安装应符合下列规定：

1 会议表决主机的安装应符合设计要求。

2 会议表决主机的安装应符合本规范第6.2.6条的相关要求。

6.4.4 系统管理软件的安装应符合本规范第6.2.7条的相关要求。

6.5 会场出入口签到管理系统

6.5.1 会场出入口签到管理系统设备的安装应包括会议签到主机、门禁天线、发卡器、会议签到管理软件、管理计算机及签到信息显示屏等的安装。

6.5.2 会议签到主机和门禁天线的安装应符合下列规定：

1 安装位置应符合设计要求。

2 会议签到门的宽度应符合设计要求。

6.5.3 发卡器宜安装在会务管理中心或控制室内的操作台面上，并应方便操作人员的操作与管理。

6.5.4 签到管理计算机的主机安装应符合本规范第6.2.6条的要求。

6.5.5 签到管理软件应按设计要求分别安装在签到主机和签到管理计算机中。

6.5.6 签到信息显示屏的安装应按设计要求安装在会场出入口

处，安装应牢固可靠。

6.6 会议扩声系统

6.6.1 会议扩声系统设备的安装应包括声源设备、音频处理设备和扩声设备的安装。

6.6.2 音箱的安装应符合下列规定：

1 音箱的安装应符合设计要求。固定应牢固可靠，水平角、俯仰角应在设计要求的范围内灵活调整。

2 音箱在建筑结构上的固定安装必须检查建筑结构的承重能力，并征得原建筑设计单位的同意后方可施工。

3 施工现场应设有良好的照明条件，并应做好安全防护措施。

4 暗装音箱正面透声结构应符合设计要求，同时应与相关专业施工单位进行工序交接和接口关系核实与确认，并应填写本规范表A.0.4。

5 以建筑装饰物为掩体暗装的音箱，其正面不得直接接触装饰物。

6 音箱采用支架或吊杆明装应牢固可靠，音频指向和覆盖范围应能符合设计要求。

7 安装音箱时，除设计有要求之外，可不做减振处理。

8 小型壁挂式音箱可采用热镀锌膨胀螺栓固定。

9 吸顶式音箱安装在石膏板或者矿棉板等轻软质板材上时，应在背面加衬厚度3mm～5mm的硬质板材，并应采用固定吊点吊牢。

10 安装在组合架上的音箱，固定应牢固可靠，螺栓、螺母不得有松动现象。

6.6.3 箱体的安装应符合下列规定：

1 各类箱、盒、控制板等安装应符合设计要求，箱体面板和框架应与建筑物表面配合严密。安装在地面预留洞内的箱体应能使地面盖板遮盖严密、开启方便。不宜采用电焊或气焊将箱体与预埋管口焊接。

2 箱体与管口宜采用管口螺母锁紧。

3 扩声机房内如有输出线路接线箱暗设在墙内时,箱体底边应离地面1.2m。

4 机房内扩声设备等电位连接端子箱与接地极之间应采用接地干线相互连通,设备保护接地和工作接地应以各自单独的接地线与等电位连接端子箱连接,不得以串接的方式连接至等电位连接端子箱。

6.6.4 功放设备宜安装在控制台的操作人员能直接监视的部位,其中音源设备、调音台、周边设备、功率放大器等宜放在同一个房间内。

6.7 会议显示系统

6.7.1 会议显示系统设备的安装应包括信号源、信号处理设备和显示设备的安装。

6.7.2 会议显示系统设备的安装应符合设计要求,并应符合现行国家标准《视频显示系统工程技术规范》GB 50464的有关规定。

6.7.3 会议显示设备安装前,现场的温度、湿度和洁净度应符合设计要求。

6.7.4 会议显示设备安装时,安装人员应使用专用工具和佩戴专用手套,安装过程中不得污染、摩擦、撞击显示屏幕。

6.7.5 会议显示设备安装前,应按显示设备的承重要求对底座和支架进行承重测试。

6.7.6 会议显示设备和显示屏幕的安装位置应符合设计要求,并应根据现场座椅实际摆放位置进行调整。

6.7.7 投影型视频显示系统的投影幕安装应符合下列规定:

1 投影软幕宜安装在暗盒内,暗盒的尺寸应比投影幕尺寸略大。

2 室内投影幕宜在限定空间居中安装。

3 投影硬幕应在屏框上固定牢固，应为变形和热胀冷缩留出余量。

4 两个或多个硬幕拼接安装时，幕与幕的连接处应进行对接缝合。

5 屏框的装饰宜与室内装饰风格协调一致。

6.7.8 投影型视频显示系统的投影机安装应按下列规定：

1 应根据镜头焦距、屏幕尺寸和反射次数计算出安装位置。

2 投影机距投影幕的距离应取安装距离范围的中值，若遇障碍物可适当调整。

3 投影机的水平方向安装位置应与投影幕水平方向居中对称。

4 投影机吊装时应避开灯具和消防喷淋设施。

5 外露式背投影显示系统的投影机、投影幕和反射镜应固定牢固，支架应直接固定在天花板、承重墙体或地面上。

6 安装投影机的背投间，墙面、天花、地面应避免光线干涉。

7 投影幕前1.5m范围内灯光回路应独立可控，灯光不宜直接照射在投影屏幕上。

6.7.9 会议显示设备的固定结构应能使显示设备在水平方向和垂直方向适当调整。

6.7.10 LED视频显示系统安装除应符合现行国家标准《视频显示系统工程技术规范》GB 50464的有关规定外，尚应符合下列规定：

1 LED显示系统在一个显示平面内，应选用同一批次的产品。

2 LED模组之间的拼缝应符合设计要求。

3 LED显示屏表面平整度应符合现行国家标准《视频显示系统工程技术规范》GB 50464的有关规定。

4 LED显示屏屏体应安装在牢固的底座或墙面支架上。底座应固定在水平的地面或其他牢固的基座上，墙面支架应安装在建筑或墙面的承重结构上，且底座和墙面支架的承重应符合设计要求。

6.7.11 会议显示设备采用桌面升降式安装应符合下列规定：

1 应按设计要求对会议桌面进行开孔作业。

2 桌面升降器和显示设备的安装均应牢固。

3 应向家具厂家提供产品说明、安装手册及具体开孔尺寸、深度。

4 显示屏幕收合后，桌面升降系统应与桌面平齐，不得有凹陷或凸起现象。

5 显示设备安装完毕后，应有调整角度的余地。

6 桌面升降系统内部的线缆应梳理整齐并应预留升降缓冲带。

6.7.12 电视型显示设备安装时应符合下列规定：

1 电视型显示设备的安装应符合设计要求。

2 电视型显示设备进行移动安装时，移动支架的配重应均衡，移动过程中不应倾覆。

3 电视型显示设备进行墙面安装时，应与墙面之间留有维护和散热间距。

6.7.13 控制室内的监视器安装位置应符合设计要求，安装固定应牢固可靠，摆放应整齐。

6.7.14 信号处理设备在机柜内或控制台上安装应牢固可靠，设备之间应留有合理间隙，并应按要求接地。

6.7.15 会议显示系统安装完成后，应对显示平面和玻璃器件采取必要的保护和防尘措施。

6.7.16 需要定期更换易耗品的会议显示设备，安装时应将维护口外露。

6.7.17 信号源到显示设备之间的连接应尽量直接，减少中间设备和接插件对显示效果的影响。

6.7.18 会议显示系统的显示设备，从室外或其他温度及湿度差异较大的空间搬入安装空间时，不得立即打开设备的包装。

6.8 会议摄像系统

6.8.1 会议摄像系统设备的安装可包括图像采集设备和图像处理设备的安装。

6.8.2 摄像机的安装应符合下列规定：

1 摄像机的安装应符合设计要求。

2 摄像机安装应牢固，运转应灵活。

3 在强电磁干扰环境下，摄像机安装应与地绝缘隔离。

4 摄像机宜采用集中供电方式。

5 摄像机吊顶安装时，应预留检修孔。

6 摄像机连接线缆外露部分应采用软管保护。

6.8.3 编码器宜安装在摄像机附近或吊顶内。

6.8.4 云台的安装应符合下列规定：

1 云台安装应牢固，转动应灵活无晃动。

2 应检查云台的旋转范围是否符合设计要求。

3 应检查云台运动时是否存在碰擦物和阻挡物。

6.8.5 图像处理设备的安装应符合下列规定：

1 控制键盘、监视器等设备的安装应平稳，便于操作。监视器屏幕应避免环境光直射。

2 在控制台、机柜(架)内安装的设备内部接插件与设备连接应牢固。

3 控制室内线缆应根据设备安装位置设置线缆槽盒和进线孔，线缆排列、捆扎应整齐，并应有长效用途和编号标识。

6.9 会议录播系统

6.9.1 会议录播系统设备的安装应包括录播信号采集设备和录播信号处理设备的安装。

6.9.2 录播信号采集设备的安装应靠近信号输出设备。

6.9.3 各种信号设备接口之间的连接应使用专用线缆。

6.9.4 录播信号处理设备的网路布线应符合设计要求。

6.9.5 录播信号处理设备 IP 地址的设置，应与会议室办公网络的 IP 地址之间能实现互访。

6.9.6 录播信号处理设备的设置应满足远端工作站控制管理和本地控制管理的要求。

6.10 集中控制系统

6.10.1 集中控制系统设备的安装可包括中央控制主机、触摸屏、控制器和控制开关等设备的安装。

6.10.2 集中控制系统的控制器在进行墙面安装时，应确保牢靠稳固。

6.10.3 集中控制设备的电源应按设计要求，采用单独回路单独供电。

6.10.4 有线控制器宜安装在桌面上或墙面上，无线控制系统的收发器应安装在会场内无线信号覆盖区域最大的位置。

6.10.5 集中控制设备应在机柜的上部安装牢固，设备之间应留有合理间隙，并应按要求接地。

7 会议室、控制室施工安装

7.1 一般规定

7.1.1 会议室、控制室施工安装工程主要可包括装修工程施工安装、空气调节系统施工安装和电气装置施工安装。

7.1.2 会议室、控制室施工安装工程所有管线、槽盒穿墙或楼板处，除应符合本规范第5.2.2条的规定外，尚应做好隔声和防潮处理。

7.1.3 会议室、控制室施工安装工程，施工期间应与相关专业施工单位密切配合进行相关工序交接和接口关系核实与确认，并应按本规范表A.0.4的要求填写。

7.1.4 施工安装工程所用电气装置产品和材料应符合国家电气产品安全的规定和设计要求。主要电气装置材料进场时应进行验收检查，应有检验记录及结论。

7.1.5 会议室、控制室内的电源系统和防雷与接地的施工，除应符合设计要求外，尚应符合现行国家标准《电气装置安装工程接地装置施工及验收规范》GB 50169、《建筑物电子信息系统防雷技术规范》GB 50343的有关规定。

7.1.6 工程施工安装期间，在会议室、控制室室内堆放的施工设备、材料及物品不得超过楼板的荷载。

7.1.7 工程施工安装期间，易燃易爆物的堆放与使用应远离火源。

7.1.8 会议室、控制室室内装修施工除应执行本规范外，还应符合现行国家标准《建筑内部装修设计防火规范》GB 50222、《建筑内部装修防火施工及验收规范》GB 50354、《建筑装饰装修工程质量验收规范》GB 50210的有关规定。

7.2 装修工程施工安装

7.2.1 电子会议系统会议室、控制室的室内装修工程施工应包括吊顶、墙面、隔断墙、门、窗、地面、活动地板和其他室内相应作业。

7.2.2 电子会议系统会议室、控制室设备及家具布置应符合设计要求。

7.2.3 控制室应设置观察窗，观察窗的施工应符合设计要求和现行国家标准《红外线同声传译系统工程技术规范》GB 50524 中的有关规定。

7.2.4 会议室声学装修应符合现行国家标准《电子会议系统工程设计规范》GB 50799 的有关规定。

7.2.5 电子会议系统会议室、控制室装饰环保施工应符合现行国家标准《民用建筑工程室内环境污染控制规范》GB 50325 的有关规定。

7.2.6 在地面进行地毯及塑胶施工时，环境条件应符合合同约定和材料说明书的规定。

7.2.7 吊顶、墙面、隔断墙的施工应符合下列规定：

1 吊顶与隔断墙材质、规格、型号和吊顶安装方式应符合设计要求。

2 吊顶应按设计标高及安装位置严格放线施工。

3 会议室、控制室吊顶、墙面和隔断墙的装饰面板应平整，不得起尘、变色和腐蚀；边缘应整齐，无翘曲；封边处理后不得脱胶；填充顶棚的保温和隔音材料应平整、干燥，并应做包封处理。

4 顶板与龙骨的连接应可靠，双层顶板的接缝不得落在同一根龙骨上。

5 造型吊顶板应和龙骨牢固固定，造型转角尺寸加工应准确，表面应平整，接缝平直，并应做好封边处理。

6 固定吊顶板宜用自攻螺钉，不得损坏板面。当设计未作明确规定时宜符合下列规定：

1)螺钉帽应拧入板内,并不得使板面破损。钉眼应做防锈处理,并应用腻子抹平。

2)螺钉距板边宜为 10mm~15mm。

3)沿板边螺钉间距宜为 150mm~200mm,中部螺钉间距宜为 200mm~300mm,并应均匀布置。

7 钉眼、接缝和阴阳角处应根据顶板材质用相应的材料嵌平、磨光。

8 吊顶及检修马道应固定牢固、平直,所有钢制构件应有表面防锈处理,现场切割、焊制钢构件应刷 3 遍防锈漆。

9 金属连接件、锚固件除锈后应涂 2 遍防锈漆。

10 吊顶板应方便拆卸或设置检修口。

11 安装吸顶设备时,开孔尺寸应按设备要求加工,顶板切口需打磨光滑,不得切断吊顶固定龙骨,不得对吊顶装饰面板造成表面损坏。

12 吊顶上的灯具、各种风口、火灾探测器底座、自动喷淋喷头、摄像机、投影机和音箱等设备应按设计安装位置要求与龙骨和吊顶板紧密配合安装,并不得对吊顶装饰面板造成表面损坏。

7.2.8 隔墙的施工应符合下列规定:

1 会议室、控制室的隔墙的布局和材质、型号、规格、数量应符合设计要求。

2 隔墙龙骨的位置应准确,固定应牢靠。竖龙骨及横向贯通龙骨的安装应符合设计及产品说明书的要求。

3 电子会议系统会议室、控制室隔墙的沿地、沿顶和墙龙骨与建筑围护结构内表面之间的安装应衬垫弹性密封材料并固定。当设计无明确规定时固定点间距不宜大于 800mm。

4 有耐火极限要求的隔墙竖龙骨的长度应小于隔墙的高度 30mm,上、下应形成 15mm 的膨胀缝,膨胀缝应用难燃弹性材料填实。

5 有耐火极限要求的隔墙装饰面板应与竖龙骨平行铺设,不得与沿地、沿顶龙骨固定。

6 安装隔墙装饰面板时，板边与建筑墙面间隙应采用嵌缝材料可靠密封。

7 当设计无明确规定时，用自攻螺钉固定墙板应符合下列要求：

1）用自攻螺钉固定墙面板时，不得损坏板面。

2）自攻螺丝必须固定在龙骨上，沿板边固定螺钉间距不宜大于200mm，位于板中部的螺钉间距不宜大于300mm，且需均匀分布；螺钉帽应拧入板内，并不得使板面破损，钉眼应做防锈处理并用腻子抹平；螺钉距板边宜为10mm～15mm。

8 设有设备间的会议室、控制室，设备间隔墙应做隔声处理，隔声量应符合设计要求。

9 轻钢龙骨石膏板隔墙内的管线、槽道安装应与龙骨固定牢固，并应与隔墙装饰面保留间隙。

10 安装在隔墙上的设备和装置应固定在龙骨上，装饰面不得受力。

11 隔墙上需安装门窗时，门框、窗框应固定在龙骨上，应按设计要求对缝隙进行密封。

7.2.9 钢制门、窗和隔断的安装应符合下列规定：

1 钢制门框、窗框及隔断的规格、型号应符合设计要求，安装应牢固平整，其间隙应用非腐蚀性材料密封。当设计无明确规定时，隔断沿墙立柱固定点间距不宜大于800mm。

2 门扇、窗扇应平整，接缝严密，安装牢固，开闭自如，推拉灵活。

3 施工过程中对门窗及隔断装饰表面应采取保护措施。

4 安装玻璃的槽口应清洁，下槽口应衬垫软性材料。玻璃之间或玻璃与扣条之间嵌缝灌注的密封胶应饱满、均匀、美观；若填塞弹性密封胶条，应牢固、严密，不得起鼓和缺漏。

7.2.10 地面、活动地板的安装应符合下列规定：

1 活动地板材质、规格、颜色和安装高度应符合设计要求。

2 活动地板的铺设，应在会议室、控制室内各类装修施工及固定设施安装完成，并应对地面清洁处理后进行。

3 建筑地面处理应符合设计要求，并应找平清洁、干燥，严防积尘、起尘。地板下围护结构应做好封堵处理。

4 沿墙单块地板的最小宽度不宜小于整块地板边长的1/4。现场切割的地板，周边应光滑、无毛刺，并应按原产品的技术要求做相应处理。

5 活动地板铺设前应按设计标高及地板布置严格放线，校验无误后方可铺设，活动地板下各种管路应避开地板支脚敷设，并应将支撑部件调整至设计高度。

6 活动地板铺设过程中应随时调整水平，遇到障碍物或不规则墙面时，应按实际尺寸镶补并附加支撑部件。

7 活动地板的铺设应符合表7.2.10的规定：

表 7.2.10 活动地板铺设要求

项 目	允许偏差
表面平整	≤2mm/2m
缝格平直	≤3mm/5m
接缝高低差	≤1mm

8 地板线缆出口应配合控制台、机柜实际位置进行定位，并应符合设计要求，出口应有线缆保护措施。

9 在活动地板上搬运、安装设备时，应对地板表面采取防护措施。

7.2.11 控制室控制台、机柜安装应符合下列规定：

1 控制台、机柜的安装位置应符合设计要求，安装应平稳牢固，并应便于操作与维护。

2 控制台的装机容量应根据工程需要留有扩展余地。控制台的操作部分应方便、灵活、可靠。

3 控制台与墙面、显示屏或其他设备的净距离应符合设计要求。设计若无明确要求时，控制台操作面、机柜正面与墙或显示屏的净距离不应小于1.2m，侧面与墙或与其他设备的净距离，在主要走道不应小于1.5m，在次要走道不应小于0.8m，背面与墙或其他设备的净距离不应小于0.8m。

4 控制台、机柜（架）的散热应符合设计要求。控制台、机柜（架）与设备连接应牢固可靠。

5 控制台内部应有管线敷设空间及槽道，槽道应有检修空间。

6 控制台、机柜和内部设备应做到可靠接地。

7 固定式设备机柜应采用金属底座，金属底座应固定在结构地面上，活动式设备机柜就位后应锁住脚轮，并应使用固定脚支腿支撑机柜。

8 控制台及机柜的安装位置应避开风口、管道等。

9 并列安装的机柜、机架应排列整齐，机柜、机架之间应采用螺栓紧固连接。机架底座与地面之间的间隙，应采用金属垫块垫实，垫块应进行防腐处理，机架底座与地面悬空部位应加装饰面。

10 机柜、机架单个独立安装或多个并列安装应达到横平竖直，其垂直误差不应大于3mm，底座水平误差每米不应大于2mm。

11 安装落地式控制桌要摆放整齐，与地面应固定牢固。

12 控制台宜与观察窗垂直布置。

7.2.12 会议室会议桌安装应符合下列规定：

1 会议桌面的会议设备安装应符合设计要求。

2 会议桌表面应根据需嵌入设备尺寸预留安装位置，会议桌内部应有管线敷设空间及线槽，线槽应有检修空间。

3 会议桌内安装的设备应有散热通风措施，内部接插件与设备连接应牢靠。

4 会议桌内安装的设备应做到可靠接地。

7.3 空气调节系统施工安装

7.3.1 会议室、控制室的空气调节系统施工应包括空调系统设备、管路及其部件的安装。

7.3.2 会议室、控制室空气调节系统设备、管路及其部件的安装除应执行本规范外，尚应符合现行国家标准《通风与空调工程施工规范》GB 50738 及《通风与空调工程施工质量验收规范》GB 50243 的有关规定。

7.3.3 空调系统设备的安装应符合下列规定：

1 电子会议系统会议室、控制室吊顶内及活动地板下空间敷设空调管路时，应设置独立的吊架或支架，固定间距应符合设计要求。

2 会议室、控制室空调排水管坡度应满足排水要求。

3 会议室、控制室温控器开关安装位置宜设置在门口，与其他操作控制面板并排安装时，宜同高度且排列整齐。

4 冷媒管保温材料应符合设计要求；设计无规定时可采用耐热聚乙烯管、阻燃保温泡沫橡胶管、玻璃纤维管等保温材料。

5 变冷媒流量多联商用分体空调或空调设备的冷媒管路敷设前应进行脱脂处理，并应密封端口运输、保存，敷设时应通氮气养护焊接。

6 空调设备管道安装完成后，应进行检漏和压力测试并应做好记录。

7.3.4 风管及其部件制作及安装应符合下列规定：

1 电子会议系统会议室、控制室的风管材料应符合设计要求，设计无规定时宜采用镀锌钢板。

2 镀锌钢板表面应平整，无氧化、腐蚀等现象；风管加工时应避免损坏镀锌层，损坏处应涂两遍防锈漆。

3 普通钢板的刷漆应符合设计要求，设计无规定时应符合表7.3.4-1的要求。

表 7.3.4-1 风管刷漆要求

风管类型	刷漆部位及遍数	
	内表面	外表面
保温风管	醇酸类底漆二遍	铁红底漆二遍
非保温风管	醇酸类磁漆二遍	铁红底漆二遍 调和漆二遍

4 风管接缝宜采用咬口方式。板材拼接咬口缝应错开，不得有十字拼接缝。

5 风管内表面应平整光滑，安装前应除去内表面的油污和灰尘。

6 金属风管法兰材料规格应符合表 7.3.4-2 要求。风管法兰的螺栓及铆钉孔的孔距不得大于 150mm；矩形风管法兰的四角部位应设有螺孔。风管与法兰采用铆接连接时，铆接应牢固，不应有脱铆和漏铆现象；翻边应平整、紧贴法兰，其宽度不应小于 6mm，风管与法兰连接处翻边尺寸应符合下表 7.3.4-2 的要求，咬缝与四角处不应有开裂与孔洞。

表 7.3.4-2 金属风管法兰材料规格要求

风管长边尺寸 b	法兰材料规格（角钢）	螺栓规格	最小翻边尺寸（mm）
$b \leqslant 630$	25×3	M6	6
$630 < b \leqslant 1500$	30×3	M8	7
$1500 < b \leqslant 2500$	40×4		
$2500 < b \leqslant 4000$	50×5	M10	8

7 风管与法兰间的连接应严密。法兰密封垫应选用不透气、不易吸附尘土、具有一定弹性的材料制作。

8 风管安装不应发生可能引起噪声的摇晃、松动、缝隙、故障等问题。

7.4 电气装置施工安装

7.4.1 会议室、控制室电气装置的施工应包括供电、配电装置、自控系统等电气装置安装、电气照明装置安装、防雷与接地系统安装和设备配线敷设。

7.4.2 会议室、控制室电气装置安装除应符合现行国家标准《建筑电气工程施工质量验收规范》GB 50303 的有关规定外，尚应符合下列规定：

1 电气装置的安装应做到整齐、牢固、正确、规范、标识明确、外观良好，内外清洁。

2 电气接线盒内应无残留物，盖板整齐、严密，并应与同类电气设备安装高度一致。电气接线盒明装时，应排列整齐、横平竖直，暗装时盖板应紧贴安装工作面。

3 吊顶内电气装置的安装位置应便于维修。

4 特种电源配电装置应有明显标识，并应注明频率、电压等。

5 配电箱、柜等电气装置应固定牢靠，并应可靠接地。

7.4.3 电气照明装置的安装应符合下列规定：

1 吸顶灯具底座应紧贴吊顶或顶板，安装应牢固。

2 嵌入式安装灯具应固定在吊顶板预留洞孔内专设的框架上。电源线应穿金属管或可弯曲金属管，且应留有余量，并应通过绝缘垫圈进入灯具，不得贴近灯具外壳。灯具边框外缘应紧贴在吊顶板。

3 成排安装的灯具，光带应平直、整齐。

7.4.4 防雷与接地装置安装应符合下列规定：

1 防雷与接地应符合现行国家标准《电子会议系统工程设计规范》GB 50799 的有关规定。

2 控制室的防雷装置应符合现行国家标准《建筑物电子信息系统防雷技术规范》GB 50343、《建筑物防雷工程施工与质量验收规范》GB 50601 的有关规定。

3　正常状态下外露的不带电金属设备外壳应与建筑物等电位网连接。

4　各类接地装置的安装及其接地电阻值应符合设计要求，连接正确。

5　接地装置连接应可靠，连接处不应松动、脱焊、接触不良。

6　需涂覆部分涂层应完好无损。

7　交流电源线路不宜与直流工作地线紧贴平行敷设。

7.4.5　设备配线敷设除应符合本规范第5.2节相关条款规定外，尚应符合下列规定：

1　干线与配电箱、柜应采用压接端子连接。

2　控制室内的电源线、信号线和通信线应分别敷设，排列整齐，捆扎固定。

3　机柜和操作台内线缆应按类别分别绑扎，电源线和信号线绑扎时应有一定的间距；线缆绑扎不应遮挡线缆标记，绑扎后应做标记。

4　电源相线、中性线、保护接地线、各种信号线和通信线的颜色应符合设计要求，并应按设计要求编号。

5　线缆连接应可靠，不得有扭绞、压扁和护套断裂等现象。

8 系统调试

8.1 一般规定

8.1.1 系统设备的型号及安装位置应符合设计要求。

8.1.2 系统线缆规格与型号应符合设计要求，没有虚接、错接、漏接和短路现象，插接件应牢固，焊接应无虚焊和毛刺，施工质量检验应合格。

8.1.3 系统设备的电压、极性、相位等应符合设计要求。

8.1.4 系统开通前应先确认设备本身不存在问题和故障。

8.1.5 设备通电前应将开关、旋钮置于规定位置。

8.1.6 会议系统的调试应按先设备后系统的顺序进行。

8.1.7 会议系统的调试工作应由专业工程师按照系统调试方案进行。

8.1.8 系统设备调试过程应按本规范表 A.0.5 填写系统设备调试记录。

8.1.9 系统联调过程应按本规范表 A.0.6 填写系统调试记录。

8.2 会议讨论系统

8.2.1 会议讨论系统设备调试应包括下列内容：

1 会议单元传声器开/关键控制。

2 主席单元用传声器优先权控制。

3 会议系统控制主机的发言申请管理模式、自由讨论模式、单一代表发言模式等设计要求的工作模式。

8.2.2 每一个会议单元工作时应确保状态正常，开关指示正确。

8.2.3 会议讨论系统的工作模式调试应符合下列规定：

1 调试发言申请管理模式时，主席应拥有自由发言权，任一位代表按下其传声器开/关键时，应具有相应指示灯提示主席及操作人员，并由主席或操作人员决定是否开启该代表的传声器。

2 调试自由讨论模式时，任一代表可通过按下传声器开/关键进行发言，超过系统的发言人数限制后，应自动排队和按顺序接通。

3 调试单一代表发言模式时，主席应拥有自由发言权，在前一位代表发言当中，另一位代表按下传声器开/关键，前一位代表传声器应随即关闭，会场应只有主席和一位代表同时发言。

8.2.4 当代表进入发言状态时，其他会议代表应清晰听到会议内容。

8.3 会议同声传译系统

8.3.1 红外线同声传译系统调试时，应先打开设备电源，待系统稳定后，调节红外辐射单元的发射信号强度，在红外辐射单元有效的覆盖范围内，随意移动红外接收单元，红外接收单元的接收信号强度应指示正常。

8.3.2 每一个翻译单元应进行单独调试，确保该翻译单元的声音可以被切换到任意通道，并且任意一个通道选择器或接收单元都应可以在不同通道清晰地听到该翻译员的译音。

8.3.3 按照系统设计的最大容量，应对所有翻译单元进行同时调试，确保每一翻译单元的声音可以被切换到相应的通道，任意一个通道选择器或接收单元应清晰地听到每一个通道的声音，没有串音。

8.3.4 调试人员应对所有通道统调，确保各通道音量一致。

8.4 会议表决系统

8.4.1 会议表决系统应对请求发言登记、接收屏幕显示资料、内部通信、电子表决、发言和表决的授权核对、显示请求名单和表决结果等功能进行调试。

8.4.2 会议表决系统调试应符合下列规定：

1 有线表决系统应检查每一个表决器连接线是否连接正确并牢固可靠。

2 应逐一按下表决键，查看表决键上的指示灯是否点亮，屏幕上是否正确显示表决提示。

3 在记名表决时，按下表决键后，所选择的表决键上相应的指示灯应点亮；在不记名表决时，所有表决键上的指示灯应全亮或全不亮，不应看到会议表决选择。

4 应检查系统管理软件模块的会议表决管理、排位管理及人员管理等功能是否运行正常。

8.5 会场出入口签到管理系统

8.5.1 会场出入口签到管理系统应对智能卡管理和识别代表身份等功能进行调试。

8.5.2 会场出入口签到管理系统调试应符合下列要求：

1 会议签到机应准确识别并记录参会人员信息。

2 系统应同时对多台签到机接收的参会人员信息进行实时采集和处理。应实时显示参会人员基本信息和签到情况，并应实现参会人员出席签到、身份认证、统计、查询、检索等各项管理和统计工作，签到情况均可实时显示在各种屏幕上。

3 应进行现场制卡、挂失、禁用、补办，临时参会人员办卡等功能调试。

4 添加、删除系统操作人员和设置系统管理权限功能应符合设计要求。

5 应进行参会人员信息的统计、分类和打印等功能调试。

8.6 会议扩声系统

8.6.1 调试前的准备应符合下列规定：

1 设备初次通电时应预热并观察半小时，无异常现象后方可进行正常操作。

2 扩声设备应按设计要求安装完毕，并应调整扩声系统处于正常工作状态。

3 系统应进行最佳补偿调整。

4 扩声系统中调音台的多频补偿应置于正常工作状态，功率放大器若有音调补偿时，应置于正常位置。

5 厅堂内被测点的声压级至少应高于背景噪声 15dB。混响时间及再生混响时间测量时信噪比至少应满足 35dB。

6 各项调试可在空场或满场条件下进行。

8.6.2 会议扩声系统调试应符合下列规定：

1 扩声系统开启后，应先使用音频测试信号检查各通路是否通畅。

2 应将音频测试信号或节目源信号馈入系统输入端，按各通路分别检查相应音箱扩声是否正常，是否有机械振动声音。中断音频信号和节目源信号后，音箱应无明显本底噪声和交流声。

3 应使用两只传声器同时拾音分别馈入系统两路信道，接入相位仪检查传声器输入相位是否一致。

4 设备的功能键、操作键或控制按键均应准确、灵敏，信号显示正常。

5 各设备调试应按设备使用说明书的要求进行。

6 应按设计要求对扩声系统的各项声学指标进行调试，并应保留调试记录。

7 调试完成后，各开关、旋钮恢复初始位置后，应逐一关闭设备的电源。

8.6.3 测点选择应符合下列规定：

1 所有测点应离墙 1.5m 远；测点距地高度应为 1.1m～1.2m。对于有楼座的会场，测点应包括楼座区域。

2 对于对称会场，测点可在中心线的一侧（包括中心线）区域内选取；对于非对称厅堂，应增加测点。

3 语言传输指数、最大声压级、传输频率特性、传声增益、系统总噪声级的测点数不得少于全场座席的 5‰，并最少不得少于八个点。

4 声场不均匀度的测点数不得少于全场座席的 1/60。测点可以是中心线一列，在左半场或右半场再均匀取 1 列～2 列。每隔一排或几排进行选点测量。

5 混响时间的测量，空场时测点不应少于 5 点，满场时测点不应少于 3 点。

6 混响时间和语言传输指数的测量，需要时可增设主席台上的测点。

8.6.4 调试结果应符合或优于设计要求。

8.7 会议显示系统

8.7.1 会议显示系统的调试应符合设计要求，并应符合现行国家标准《视频显示系统工程技术规范》GB 50464 的有关规定。

8.7.2 会议显示系统安装完成后应配合调试工作进行物理位置的精确调整，应使用水平仪校正显示屏幕的水平和垂直度。

8.7.3 会议显示系统设备接通电源前，应做下列检查：

1 应确认电源连接是否正确和牢固。

2 应确认信号线的终接和连接是否正确。

3 应确认设备、机柜和安装支架的接地是否正确。

4 应保证安装现场干净、无尘。

8.7.4 会议显示系统的设备调试应符合下列规定：

1 应按产品手册的说明，对设备进行调试。

2 应按深化设计的要求，对设备的参数进行精细调试。

3 应根据调试情况和使用环境，对设备的参数进行微调。

8.7.5 会议显示系统调试时，应使用信号发生器或设备自带的测试卡对显示设备的色彩、亮度、对比度、色温、相位、垂直位移、水平位移和梯形特性进行调试，并应对信号处理设备的增益、电平等参数进行调试。

8.7.6 拼接融合显示系统应调试融合带亮度、色温、对比度和色彩值，使用融合方式显示时，在合理的视距范围内，图像不应发生变形、扭曲、裁剪或重叠，色彩和亮度应均匀一致。

8.7.7 调试人员应对显示设备和信号处理设备的输入输出接口进行测试。

8.7.8 调试时不得触摸显示设备的屏幕、反射镜、镜头，必要时使用吹刷除去灰尘，不得使用湿布、普通清洁剂或强稀释溶剂清洁设备。

8.7.9 会议显示系统应根据信号源质量和类型，将显示系统的清晰度和分辨率调试到系统设计数值或整个系统支持的最佳数值。

8.7.10 会议显示系统显示的各类视频信号应清晰、无扭曲、无变形、无明显重影和拖尾。

8.8 会议摄像系统

8.8.1 对摄像机应进行逐个通电检查，工作正常后方可进行系统调试。

8.8.2 调整监视器、图像处理器、编码器、解码器等设备，应保证工作正常并符合设计要求。

8.8.3 检查并调试摄像机的摄像范围、聚焦等，图像清晰度、灰度等级应符合系统设计要求。

8.8.4 检查并调整摄像机的转动、变焦、聚焦、光圈调整等控制功能，应排除遥控延迟和机械冲击等潜在隐患。

8.8.5 具备自动跟踪功能的摄像系统应与会议讨论系统相配合，预置位数量应满足设计要求，预置位设定应准确，并应检查摄像机的预置位调用功能是否正常。

8.8.6 检查并调整视频切换控制设备的操作程序、图像切换、字符叠加等功能，应保证工作正常并符合设计要求。

8.8.7 调试后监视图像的质量应符合设计要求。

8.9 会议录播系统

8.9.1 系统在通电前应检查供电设备的电压、极性、相位等。

8.9.2 调试人员应对各个设备逐个进行通电检查,工作正常后方可进行系统调试,并应做好调试记录。

8.9.3 调试人员应按设计的技术指标和功能要求调整编码器、解码器、录播服务器等设备的参数。

8.9.4 调试人员应对接入会议录播系统的每一个信号接口进行调试。

8.9.5 调试人员应根据网络状况、存储空间等运行环境因素将会议录播系统的功能参数调整到最佳状态。

8.9.6 会议录播系统在配合拼接显示屏系统使用时,应确保多块拼接屏幕显示内容的同步录制和同步回放。

8.9.7 会议录播系统在配合边缘融合显示系统使用时,应确保可消除多个信号的重叠部分。

8.9.8 调试人员应调节信号采集设备参数,保证输出图像色彩和亮度,并应达到最佳图像效果状态。

8.9.9 调试人员应根据使用模式设置、调试相应的录制及播放模式。

8.10 集中控制系统

8.10.1 集中控制系统应根据设计要求编写控制程序和控制代码。

8.10.2 集中控制系统应先进行单台设备的控制调试,再进行系统的控制调试。

8.10.3 调试人员应根据调试情况和使用环境,对设备的参数进行微调。

8.10.4 调试人员应调试集中控制系统对整个电子会议系统设备

的电源开关控制，并应能单独控制显示设备的电源开关。

8.10.5 调试人员应根据设计要求逐一调试集中控制系统的各项控制功能。

8.10.6 调试人员应根据设计要求，设置相应的场景应用模式，并应调试各种场景应用模式下的控制功能。

8.10.7 控制界面宜具备设备和系统控制状态的回显功能。

8.10.8 控制界面的字形、术语和图标的选用应易于辨认和理解，字体和图标的大小应便于观看。

8.10.9 控制界面应使用中文标识（客户有特殊要求的除外），界面应简明、易懂，且可用图标代替文字说明。

8.10.10 控制界面宜设置密码，输入有效密码后方可进行系统的控制。

8.11 会议室、控制室

8.11.1 空气调节系统调试应符合下列规定：

1 检漏及保压试验技术指标应符合设计要求，无设计要求的，应按设备技术档案执行。

2 空气调节系统设备应在保压试验合格后进行试运行。

3 空调机组室内外机的试运转应符合设备技术文件和现行国家标准《制冷设备、空气分离设备安装工程施工及验收规范》GB 50274 中的有关规定。

4 空调机组运行时，室内外机产生的噪声应符合设计要求。

5 风控、温控开关的动作应正确，并应与空调机组运行状态一一对应。

8.11.2 照明系统调试应符合下列规定：

1 照明装置的控制开关动作应与照明灯具的状态一一对应。

2 对会议室及控制室进行照度测试，照度值应符合设计要求。

8.11.3 供配电系统电气装置调试应符合下列规定：

1 应对电线、电缆及电气装置相序的正确性进行检测。

2 应检查电气装置开关配置是否符合设计要求。

3 不间断电源应进行试运行测试。

9 系统试运行

9.0.1 系统应在调试合格,且试运行方案经建设单位认可后进行试运行。试运行期间,应按本规范表A.0.7的要求做好系统试运行记录。

9.0.2 会议讨论、会议同声传译、会议表决和会场出入口签到管理系统试运行时间不宜低于30h,且每2h应按本规范表A.0.7填写系统运行状态。会议扩声、会议显示、会议摄像、会议录播系统和集中控制系统试运行时间不宜低于30d,且每天应按本规范表A.0.7填写系统运行状态。

9.0.3 系统试运行应达到设计要求。

9.0.4 系统试运行结束后,应根据试运行记录写出系统试运行报告。其内容应包括试运行起止日期;试运行内容;试运行过程是否有故障;故障产生的日期、次数、原因和排除状况;系统功能是否符合设计要求及综合评述。

9.0.5 系统试运行期间,应建立系统值勤、操作和维护管理制度。

10 工程质量检测

10.1 一 般 规 定

10.1.1 工程质量检测应包括工程安装质量检验、功能检验和性能检测，并应采用现场查验、主观评价和客观测量的方式进行。

10.1.2 工程质量检测应制定检测方案，检测方案应包括检测项目、检测内容、检测程序和检测方法。

10.1.3 工程质量检测项目和内容除应符合本规范要求外，尚应按现行国家标准《电子会议系统工程设计规范》GB 50799 的有关规定和工程设计要求逐项进行。

10.1.4 工程质量检测应根据合同、设计文件和本规范要求进行。

10.2 工程安装质量检验

10.2.1 工程安装质量检验应包括设备安装、管线敷设、会议室及控制室施工安装质量检验和隐蔽工程随工验收复核。

10.2.2 工程质量检测人员应对照设计任务书和正式设计文件，对设备的安装质量及观感质量进行逐项检验，并应按本规范表B.0.1填写工程安装质量及观感质量检验记录。

10.2.3 工程质量检测人员应对照施工图对管线敷设质量进行全面的检验，并应按本规范表 B.0.1 填写工程安装质量及观感质量检验记录。

10.2.4 工程质量检测人员应对照设计任务书和正式设计文件，对会议室及控制室施工安装质量及观感质量进行逐项检验，其质量应符合设计要求。

10.2.5 工程质量检测人员应对隐蔽工程随工验收单进行现场逐项复核，隐蔽工程记录应准确、真实和无漏项。

10.3 功能检验

10.3.1 功能检验应包括电子会议系统功能演示、系统声音及图像质量主观评价。

10.3.2 电子会议系统功能演示检验应依据设计文件和合同相关技术条款的要求，对系统功能进行分系统功能逐项演示检验，其功能应符合设计要求。

10.3.3 系统声音及图像质量主观评价应包括会议声音质量主观评价和会议图像显示质量主观评价。

10.3.4 电子会议系统声音质量的主观评价应符合下列要求：

1 听音评价工作宜在满场条件下进行，也可在空场条件下进行。

2 扩声系统应安装调试完毕，系统处于正常工作状态。

3 建筑声学环境应达到正常使用状态。

4 评价内容应按表10.3.4-1的要求进行，即包括声音响度，语言清晰度，声音方向感，声反馈，系统噪声，声干扰以及混响时间等内容，其中声干扰和混响时间应作为检验建筑声学的主观评价指标。

表10.3.4-1 声音质量评价内容

评价内容	基本用语
响度	合适——不合适；满意——不满意
语言清晰度	清晰——模糊
声音方向感	准确——不准确；合理——不合理
声反馈临界	觉察不出——觉察得出
声干扰	觉察不出——觉察得出
系统噪声	觉察不出——觉察得出
混响时间	合适——不合适；太长——太短

5 主观评价方法可采用五级评分制。主观评价五级评分制

应符合表10.3.4-2的规定。

表10.3.4-2 声音质量主观评价五级评分制

声音质量主观评价	评分等级
声音质量极佳，十分满意	5分(优)
声音质量好，比较满意	4分(良)
声音质量一般，尚可接受	3分(中)
声音质量差，勉强能听	2分(差)
声音质量低劣，无法忍受	1分(劣)

6 评价人员应独立评价打分，取算术平均值为评价结果。

7 主观评价项目的得分值均不应低于4分。

10.3.5 会议显示系统图像显示质量主观评价应符合下列要求：

1 评价内容应包括图像清晰度、亮度、对比度、色彩还原性、图像色彩及色饱和度等内容。

2 主观评价方法可采用五级评分制，并应符合表10.3.5-1的要求。

表10.3.5-1 图像质量主观评价五级评分制

图像质量主观评价	评分等级
图像质量极佳，十分满意	5分(优)
图像质量好，比较满意	4分(良)
图像质量一般，尚可接受	3分(中)
图像质量差，勉强能看	2分(差)
图像质量低劣，无法观看	1分(劣)

3 评价人员应独立评价打分，取算术平均值为评价结果。

4 各主观评价项目的得分值均不应低于4分。

10.3.6 会议室、控制室施工安装质量符合性查验结果应符合设计要求，并应填写本规范表B.0.1。

10.3.7 电子会议系统功能检验记录应填写本规范表B.0.2。

10.4 性能检测

10.4.1 当设计文件对电子会议系统技术性能指标提出明确要求或对系统质量主观评价的结果存有争议时，应进行系统客观性能测试。

10.4.2 性能检测使用的计量仪器应具有有效的计量合格证。

10.4.3 系统技术性能指标的检测项目、检测内容、检测结果应按本规范表B.0.3的要求进行填写，且检测结果应符合设计要求。

10.4.4 会议讨论、会议同声传译系统性能指标的检测项目与内容宜包括但不限于下列内容：

1 频率响应。

2 总谐波失真。

3 串音衰减。

4 A计权信号噪声比。

10.4.5 会议表决系统性能指标的检测项目与内容应包括表决速度和表决准确率。

10.4.6 会议扩声系统性能指标的检测方法应符合现行国家标准《厅堂扩声特性测量方法》GB/T 4959中的有关规定。检测项目宜包括但不限于下列内容：

1 语言传输指数STIPA。

2 最大声压级。

3 传输频率特性。

4 传声增益。

5 声场不均匀度。

6 系统总噪声级。

10.4.7 会议显示系统性能指标的检测方法应符合现行国家标准《视频显示系统工程测量规范》GB/T 50525的有关规定。检测项目宜包括但不限于下列内容：

1 显示屏亮度。

2 图像对比度。

3 亮度均匀性。

4 水平清晰度。

5 色域覆盖率。

6 水平视角、垂直视角。

7 换帧频率(LED)。

8 刷新频率。

9 像素失控率(LED)。

10 灰度等级。

11 信噪比。

10.4.8 会议摄像系统性能指标的检测项目宜包括但不限于下列内容：

1 摄像机水平清晰度。

2 摄像机垂直清晰度。

3 摄像机云台水平旋转范围。

4 摄像机云台垂直旋转范围。

5 摄像机调用预置位准确性。

6 摄像机云台旋转噪声。

10.4.9 会议录制和播放系统性能指标的检测项目宜包括但不限于下列内容：

1 标清 D1 视频信号识别。

2 高清 720P、1080P 视频信号识别。

3 数字 VGA/模拟 VGA 信号动态 30 帧识别。

4 视频、音频、VGA 等信号同步录制功能检测。

5 录制好的视频下载保存，利用本地计算机进行播放，进行视频完整性检测。

10.4.10 会议集中控制系统性能指标的检测项目宜包括对控制端口的性能进行检测。

10.4.11 会场出入口签到管理系统性能指标的检测项目宜包括

对签到时间和签到机感应距离的性能进行检测。

10.4.12 会议室及控制室环境性能测试应符合下列要求：

1 环境性能测试应符合现行国家标准《通风与空调工程施工质量验收规范》GB 50243、《电气装置安装工程 低压电器施工及验收规范》GB 50254、《建筑内部装修防火施工及验收规范》GB 50354的有关规定。

2 测试内容应包括环境控制达标和供电系统达标测试，其测试结果应符合设计要求。

11 竣 工 验 收

11.1 一 般 规 定

11.1.1 工程竣工验收应符合下列条件：

1 工程项目应按设计文件规定内容全部完工。

2 系统试运行应达到设计要求。

3 工程检测应合格。

11.1.2 工程竣工后，应出具工程竣工报告。其内容应包括工程概况、安装的主要设备、工程试运行情况、维修服务条款及竣工决算报告等。

11.1.3 工程正式竣工验收前，应向工程验收小组提交下列资料：

1 设计任务书。

2 工程合同。

3 工程初步设计、施工图设计论证意见及设计、施工单位与建设单位共同签署的深化设计意见。

4 系统图、控制原理图、设备清单、主要材料清单、会议室及控制室设备平面布置图、管线平面图、设备安装图、安装大样图等设计图纸和设计变更通知单。

5 主要设备、材料的检测报告或认证证书。

6 系统试运行报告。

7 工程竣工报告。

8 系统操作使用、维护说明书。

9 工程竣工决算报告。

10 工程质量检测记录及报告。

11.1.4 验收组织应由建设单位组织监理、设计、施工和使用单位及第三方验收机构等共同组成工程验收小组。

11.1.5 工程竣工验收应按先材料、设备,后系统的顺序进行。

11.2 工程竣工验收

11.2.1 竣工验收应包括下列内容:

1 审查竣工验收资料。

2 审核施工现场质量管理检查记录。

3 管线敷设验收。

4 隐蔽工程验收。

5 工程安装质量验收。

6 系统功能验收。

7 系统性能验收。

8 工程竣工验收结论。

11.2.2 验收小组应审核工程竣工验收资料,并应按本规范表C.0.1的要求填写工程竣工资料验收审查表。

11.2.3 验收小组应对照工程合同和变更文件,核查系统配置,包括设备数量、型号、原产地及安装部位等。

11.2.4 验收小组应对照本规范附录B的工程检测记录对工程安装质量及观感质量检验结果、系统功能检验结果和系统技术性能指标检测结果进行复核。

11.2.5 验收小组应填写本规范表C.0.2。

11.2.6 工程质量检测结果宜分为合格和不合格。对验收未通过的工程项目,验收小组应在验收结论中明确指出存在的问题与整改措施。设计、施工单位应根据验收结论提出的整改措施进行整改。整改后,应对整改部分重新进行验收,并应验收合格后再交付使用。

附录A 工程施工质量控制记录

A.0.1 施工有变更时应按表A.0.1填写工程变更审核单。

表A.0.1 工程变更审核单

工程名称		编号	
建设单位			
监理单位			
设计单位			
施工单位			
变更项目名称、内容	变更原因	原 为	更改为
申请单位(人)： 年 月 日		分发单位	
审核单位(人)： 年 月 日			
批准单位(人)： 年 月 日			
更改实施日期： 年 月 日			

A.0.2 工程施工设备、材料进场时应按表A.0.2填写设备材料进场报验单。

表A.0.2 设备材料进场报验单

<table>
<tr><td colspan="3">工程设备材料报验单</td><td colspan="2">编　号</td><td></td></tr>
<tr><td>工程名称</td><td colspan="2"></td><td colspan="2">施工单位名称</td><td></td></tr>
<tr><td colspan="6">现报上关于　　　　工程的设备材料进场检验记录，该批设备材料经我方检验符合设计、规范及合同要求，请予以批准使用。</td></tr>
<tr><td>物资名称</td><td>规格型号产地</td><td>包装及外观</td><td>单位</td><td>数量</td><td>使用部位</td></tr>
<tr><td></td><td></td><td></td><td></td><td></td><td></td></tr>
<tr><td></td><td></td><td></td><td></td><td></td><td></td></tr>
<tr><td></td><td></td><td></td><td></td><td></td><td></td></tr>
<tr><td></td><td></td><td></td><td></td><td></td><td></td></tr>
<tr><td colspan="6">附件：　　　　　　　　　　　　　　　　编号：
□ 产品保修卡　　　　　　　　____页
□ 厂家质量检验报告　　　　　____页
□ 产品说明书　　　　　　　　____页
□ 商检证　　　　　　　　　　____页
□ 进场检查记录　　　　　　　____页
□ 原产地证明　　　　　　　　____页
□ 报关单　　　　　　　　　　____页
技术/质量负责人：　　　　　　申报人：</td></tr>
<tr><td colspan="2">建设单位签字：

年　月　日</td><td colspan="2">监理单位签字：

年　月　日</td><td colspan="2">施工单位签字：

年　月　日</td></tr>
</table>

A.0.3 隐蔽工程的施工应按表A.0.3填写隐蔽工程验收单。

表A.0.3 隐蔽工程验收单

<table>
<tr><td colspan="2">工程名称</td><td colspan="2"></td><td>编号</td><td></td></tr>
<tr><td colspan="2">建设单位</td><td colspan="4"></td></tr>
<tr><td colspan="2">监理单位</td><td colspan="4"></td></tr>
<tr><td colspan="2">设计单位</td><td colspan="4"></td></tr>
<tr><td colspan="2">施工单位</td><td colspan="4"></td></tr>
<tr><td rowspan="7">隐蔽工程内容与检查结果</td><td rowspan="2">序号</td><td rowspan="2">检查内容</td><td colspan="3">检查结果</td></tr>
<tr><td>安装质量</td><td>安装部位</td><td>图　号</td></tr>
<tr><td>1</td><td></td><td></td><td></td><td></td></tr>
<tr><td>2</td><td></td><td></td><td></td><td></td></tr>
<tr><td>3</td><td></td><td></td><td></td><td></td></tr>
<tr><td>4</td><td></td><td></td><td></td><td></td></tr>
<tr><td>5</td><td></td><td></td><td></td><td></td></tr>
<tr><td colspan="2">验收
意见</td><td colspan="4"></td></tr>
<tr><td colspan="2">建设单位</td><td>监理单位</td><td>设计单位</td><td colspan="2">施工单位</td></tr>
<tr><td colspan="2">签字：
盖章：
年　月　日</td><td>签字：
盖章：
年　月　日</td><td>签字：
盖章：
年　月　日</td><td colspan="2">签字：
盖章：
年　月　日</td></tr>
</table>

注：1 检查内容包括：(序号1)管道排列、走向、弯曲处理、固定方式；(序号2)管道搭铁、接地；(序号3)管口安放护圈标识；(序号4)接线盒及桥架加盖；(序号5)线缆对管道及线间绝缘电阻；(序号6)线缆接头处理等。

2 检查结果的安装质量栏内，按检查内容序号，合格的打“√”，不合格的打“×”，并注明对应的部位、图号。

3 综合安装质量的检查结果，填写在验收意见栏内，并扼要说明情况。

A.0.4 工序交接检查应按表A.0.4填写工序交接检查记录表。

表A.0.4 工序交接检查记录表

<table>
<tr><td>工程名称</td><td colspan="3"></td></tr>
<tr><td>建设单位</td><td></td><td>设计单位</td><td></td></tr>
<tr><td>监理单位</td><td></td><td>施工单位</td><td></td></tr>
<tr><td>安装单位</td><td></td><td>施工图编号</td><td></td></tr>
<tr><td>开工日期</td><td>年 月 日</td><td>交接日期</td><td>年 月 日</td></tr>
<tr><td>工程内容</td><td colspan="3"></td></tr>
<tr><td>接口要求</td><td colspan="3"></td></tr>
<tr><td>质量情况</td><td colspan="3"></td></tr>
<tr><td>工序交接意见</td><td colspan="3"></td></tr>
<tr><td colspan="2">施工单位
项目技术负责人：
项目经理：
盖章
年 月 日</td><td>安装单位
项目技术负责人：
项目经理：
盖章
年 月 日</td><td>监理单位
代表：
项目负责人：
盖章
年 月 日</td></tr>
</table>

A.0.5 系统设备调试时应按表 A.0.5 填写系统设备调试记录表。

表 A.0.5 系统设备调试记录表

工程名称		系统名称	会议讨论系统		
施工单位		项目经理		电话	
调试人员		技术负责人		电话	
序号	设备名称、型号	序列号	放置位置	调试内容	备注(存在问题、解决方式)
调试结论	技术负责人： 年 月 日				

注：系统名称按照工程中所涉及会议系统专业分别进行设备调试，每一专业单独附表填写调试报告。

A.0.6 系统联调时应按表 A.0.6 填写系统联调记录表。

表 A.0.6 系统联调记录表

<table>
<tr><td colspan="2">工程名称</td><td colspan="5"></td></tr>
<tr><td colspan="2">施工单位</td><td></td><td>项目经理</td><td></td><td>电话</td><td></td></tr>
<tr><td colspan="2">调试人员</td><td></td><td>技术负责人</td><td></td><td>电话</td><td></td></tr>
<tr><td rowspan="15">系统间
联调</td><td rowspan="2">编号</td><td rowspan="2">联调内容</td><td colspan="2">联调结果</td><td colspan="2" rowspan="2">备注(存在问题、解决方式)</td></tr>
<tr><td>合格</td><td>不合格</td></tr>
<tr><td></td><td></td><td></td><td></td><td colspan="2"></td></tr>
<tr><td></td><td></td><td></td><td></td><td colspan="2"></td></tr>
<tr><td></td><td></td><td></td><td></td><td colspan="2"></td></tr>
<tr><td></td><td></td><td></td><td></td><td colspan="2"></td></tr>
<tr><td></td><td></td><td></td><td></td><td colspan="2"></td></tr>
<tr><td></td><td></td><td></td><td></td><td colspan="2"></td></tr>
<tr><td></td><td></td><td></td><td></td><td colspan="2"></td></tr>
<tr><td></td><td></td><td></td><td></td><td colspan="2"></td></tr>
<tr><td></td><td></td><td></td><td></td><td colspan="2"></td></tr>
<tr><td></td><td></td><td></td><td></td><td colspan="2"></td></tr>
<tr><td></td><td></td><td></td><td></td><td colspan="2"></td></tr>
<tr><td></td><td></td><td></td><td></td><td colspan="2"></td></tr>
<tr><td></td><td></td><td></td><td></td><td colspan="2"></td></tr>
<tr><td>调试
结论</td><td colspan="6">技术负责人：
年 月 日</td></tr>
</table>

A.0.7 系统试运行应按表A.0.7填写系统试运行记录。

表A.0.7 系统试运行记录表

工程名称			编号	
建设单位				
监理单位				
设计单位				
施工单位				
日期时间	试运行内容	试运行情况	备注	值班人

附录B 工程检测记录

B.0.1 检测工程安装质量及观感质量时应按表B.0.1填写工程安装质量及观感质量检验记录。

表B.0.1 工程安装质量及观感质量检验记录表

<table>
<tr><td colspan="2">工程名称</td><td colspan="3"></td><td>编号</td><td></td></tr>
<tr><td colspan="2">建设单位</td><td colspan="5"></td></tr>
<tr><td colspan="2">监理单位</td><td colspan="5"></td></tr>
<tr><td colspan="2">设计单位</td><td colspan="5"></td></tr>
<tr><td colspan="2">施工单位</td><td colspan="5"></td></tr>
<tr><td colspan="2" rowspan="2">项 目 名 称</td><td rowspan="2">要求</td><td rowspan="2">方法</td><td rowspan="2">主观评价</td><td colspan="2">检查结果</td></tr>
<tr><td>合格</td><td>不合格</td></tr>
<tr><td rowspan="4">前端设备</td><td>1 安装位置</td><td>合理、有效</td><td>现场观察</td><td></td><td></td><td></td></tr>
<tr><td>2 安装质量(工艺)</td><td>牢固、屏幕平整、美观、规范</td><td>现场观察</td><td></td><td></td><td></td></tr>
<tr><td>3 线缆连接</td><td>信号、数据线一线到位，接插件可靠，电源线与信号线、控制线分开，走向顺直，无扭绞</td><td>对照图纸复核、抽查</td><td></td><td></td><td></td></tr>
<tr><td>4 通电</td><td>工作正常</td><td>现场通电检查</td><td></td><td></td><td></td></tr>
</table>

续表 B.0.1

项目名称		要求	方法	主观评价	检查结果	
					合格	不合格
控制设备	5 机架、控制台	安装平稳、合理、便于维护	现场检查			
	6 控制设备安装	操作方便、安全	现场检查			
	7 开关、按钮	灵活、方便、安全	实际操作			
	8 机架、设备接地	接地规范、安全	现场检查			
	9 接地电阻	应符合本规范规定	现场测量			
	10 控制台、机架、缆线绑扎及标识	整齐、有明显编号、标识并牢靠	抽查			
	11 电源引入线缆标识	引入线端标识清晰、牢靠	现场检查			
	12 通电	工作正常	现场通电检查			
管线敷设	13 明敷管线	牢固美观、与室内装饰协调，抗干扰	现场检查			
	14 接线盒、线缆接头	垂直与水平交叉处有分线盒，线缆安装固定、规范	现场检查			

续表 B. 0. 1

<table>
<tr><td colspan="2" rowspan="2">项 目 名 称</td><td rowspan="2">要求</td><td rowspan="2">方法</td><td rowspan="2">主观评价</td><td colspan="2">检查结果</td></tr>
<tr><td>合格</td><td>不合格</td></tr>
<tr><td>管线敷设</td><td>15 隐蔽工程随工验收复核</td><td>有隐蔽工程随工验收单并验收合格</td><td>复核表</td><td></td><td></td><td></td></tr>
<tr><td rowspan="6">会议室、控制室环境</td><td>16 装修</td><td>施工工艺验收合格、美观、平整、牢固</td><td>现场检查</td><td></td><td></td><td></td></tr>
<tr><td>17 空气调节系统安装</td><td>施工工艺验收合格、温度控制达标、易维护</td><td>现场检查</td><td></td><td></td><td></td></tr>
<tr><td>18 电气装置安装</td><td>水平垂直误差、安装牢固程度、安装和连接方式合规性、接地防护合格</td><td>现场检查</td><td></td><td></td><td></td></tr>
<tr><td>19 作业面和隐蔽部位</td><td>平整、干净</td><td>现场检查</td><td></td><td></td><td></td></tr>
<tr><td>20 维护保养</td><td>防护处理规范、标识标记清晰、维护保养方便</td><td>现场检查</td><td></td><td></td><td></td></tr>
<tr><td>21 防雷、接地系统</td><td>符合本规范 7.1.5、7.4.4</td><td>现场检查</td><td></td><td></td><td></td></tr>
<tr><td colspan="2">施工质量验收结论</td><td colspan="5"></td></tr>
<tr><td colspan="2">建设单位签字：
年 月 日</td><td>监理单位签字：
年 月 日</td><td colspan="2">设计单位签字：
年 月 日</td><td colspan="2">施工单位签字：
年 月 日</td></tr>
</table>

注:1 安装位置要求应对照本规范第 6.1.4、6.2.4、6.2.5、6.3.4、6.3.5、6.6.2、6.6.3、6.7.7、6.7.8、6.7.9、6.7.10、6.7.11、6.7.12、6.8.2、6.8.3、6.8.4、6.9.2 和 6.10.4 条的要求,进行现场检查。

2 安装质量(工艺)要求应对照本规范第 6.1.4、6.2.4、6.2.5、6.3.4、6.3.5、6.6.2、6.6.3、6.7.7、6.7.8、6.7.9、6.7.10、6.7.11、6.7.12、6.8.2、6.8.4、6.10.2、6.10.5 条的要求,进行现场检查。

3 线缆连接要求应对照本规范第 6.2.4、6.2.5、6.3.4、6.8.2、6.9.3、6.9.4、6.7.17 条的要求,对照图纸复核、抽查。

4 通电要求应对照本规范第 8.1.3 和 8.1.5 条的要求,现场通电检查。

5 机架、控制台应对照本规范第 6.1.5 和 7.2.11 条的要求,进行现场检查。

6 控制设备安装应对照本规范第 6.1.5、6.2.6、6.3.4、6.3.5、6.6.4、6.7.13、6.7.14 和 6.8.5、6.10.5 条的要求,进行现场检查。

7 开关、按钮应对照本规范第 8.1.5 条的要求,进行现场操作。

8 机架、设备接地应对照本规范第 7.4.4 条的要求,进行现场检查。

9 接地电阻应对照本规范第 7.4.4 条的要求,进行现场测量。

10 控制台、机架、缆线绑扎及标识应对照本规范第 6.1.5、6.2.6、6.8.5、7.2.11 和 7.4.5 条的要求,进行抽查。

11 电源引入线缆标识应对照本规范第 5.2.7 条的要求,进行现场检查。

12 通电应对照本规范第 8.1.3 和 8.1.5 条的要求,进行现场通电检查。

13 明敷管线应对照本规范第 5.2.1、5.2.2、5.2.3、5.2.5 和 5.2.8、5.3.2 条的要求,进行现场检查。

14 接线盒、线缆接头应对照本规范第 5.2.6 和 5.2.7 条的要求,进行现场检查。

15 隐蔽工程随工验收复核应对照本规范第 5.3.2 和 5.3.3 条的要求,进行复核。

16 装修应对照本规范第 7.2 节的要求,进行现场检查。

17 空气调节系统安装应对照本规范第 7.3 节的要求,进行现场检查。

18 电气装置安装应对照本规范第 7.4 节的要求,进行现场检查。

19 作业面和隐蔽部位应对照本规范第 5.3.3、7.1.6 和 7.1.7 条的要求,进行现场检查。

20 维护保养应对照本规范第 7.2.11 和 7.2.12 条的要求,进行现场检查。

21 防雷、接地系统应对照本规范第 7.1.5 和 7.4.4 条的要求,进行现场检查。

B.0.2 系统功能检验时应按表B.0.2填写系统功能检验记录。

表B.0.2 系统功能检验记录表

<table>
<tr><td colspan="2">工程名称</td><td></td><td>编号</td><td></td></tr>
<tr><td colspan="2">建设单位</td><td colspan="3"></td></tr>
<tr><td colspan="2">监理单位</td><td colspan="3"></td></tr>
<tr><td colspan="2">设计单位</td><td colspan="3"></td></tr>
<tr><td colspan="2">施工单位</td><td colspan="3"></td></tr>
<tr><td rowspan="2">序号</td><td rowspan="2">检查项目</td><td rowspan="2">检查要求</td><td colspan="2">检查结果</td></tr>
<tr><td>合格</td><td>不合格</td></tr>
<tr><td rowspan="4">1</td><td colspan="4">会议讨论系统</td></tr>
<tr><td>1</td><td></td><td></td><td></td></tr>
<tr><td>2</td><td></td><td></td><td></td></tr>
<tr><td>3</td><td></td><td></td><td></td></tr>
<tr><td rowspan="4">2</td><td colspan="4">会议同声传译系统</td></tr>
<tr><td>1</td><td></td><td></td><td></td></tr>
<tr><td>2</td><td></td><td></td><td></td></tr>
<tr><td>3</td><td></td><td></td><td></td></tr>
<tr><td rowspan="3">3</td><td colspan="4">会议表决系统</td></tr>
<tr><td>1</td><td></td><td></td><td></td></tr>
<tr><td>2</td><td></td><td></td><td></td></tr>
<tr><td rowspan="4">4</td><td colspan="4">会场出入口签到管理系统</td></tr>
<tr><td>1</td><td></td><td></td><td></td></tr>
<tr><td>2</td><td></td><td></td><td></td></tr>
<tr><td>3</td><td></td><td></td><td></td></tr>
<tr><td rowspan="4">5</td><td colspan="4">会议扩声系统</td></tr>
<tr><td>1</td><td></td><td></td><td></td></tr>
<tr><td>2</td><td></td><td></td><td></td></tr>
<tr><td>3</td><td></td><td></td><td></td></tr>
</table>

续表 B.0.2

序号	检查项目	检查要求	检查结果	
			合格	不合格
6	会议显示系统			
	1			
	2			
	3			
7	会议摄像系统			
	1			
	2			
	3			
8	会议录播系统			
	1			
	2			
	3			
9	集中控制系统			
	1			
	2			
	3			
10	会议室、控制室			
	1			
	2			
	3			

检验结论及整改措施	检验小组代表签字： 年 月 日		
建设单位签字： 年 月 日	监理单位签字： 年 月 日	设计单位签字： 年 月 日	施工单位签字： 年 月 日

注：各检查项目下的功能，可根据工程实际功能数量延伸表格。

B.0.3 检验系统技术性能时应按表B.0.3填写系统技术性能指标检测表。

表B.0.3 系统技术性能指标检测表

工程名称			编号	
建设单位				
监理单位				
设计单位				
施工单位				
序号	检查项目	检测要求	检测结果	
			合格	不合格
1	会议讨论系统			
	频率响应			
	总谐波失真（正常工作状态下）			
	串音衰减			
	A计权信号噪声比			
2	会议同声传译系统			
	频率响应			
	总谐波失真（正常工作状态下）			
	串音衰减			
	A计权信号噪声比			
3	会议表决系统			
	表决速度			

续表 B.0.3

序号	检查项目	检测要求	检测结果	
			合格	不合格
4	会议扩声系统			
	语言清晰度			
	最大声压级			
	传输频率特性			
	传声增益			
	声场不均匀度			
	系统总噪声级			
5	会议显示系统			
	显示屏清晰度			
	显示屏亮度			
	显示屏对比度			
6	会议摄像系统			
	摄像机水平清晰度			
	摄像机垂直清晰度			
	摄像机云台水平旋转范围			
	摄像机云台垂直旋转范围			
	摄像机调用预置位准确性			
	摄像机云台旋转噪声			
7	会议录制和播放系统			
	标清视频信号识别			
	高清 720P、1080P60 视频信号识别			
	数字 VGA/模拟 VGA 信号动态 30 帧识别			

续表 B. 0. 3

序号	检查项目	检测要求	检测结果	
			合格	不合格
7	录制好的视频下载保存，利用本地计算机进行播放，视频完整性检测			
8	集中控制系统			
	控制端口 1			
	控制端口 2			
9	会场出入口签到管理系统			
	签到机感应距离			
	签到时间			
10	会议室、控制室			
	温度控制范围			
	环境照度			
	接地电阻			
检测结论及整改措施	检测机构(检测小组)代表签字： 年　月　日			
建设单位签字： 年　月　日	监理单位签字： 年　月　日	设计单位签字： 年　月　日	施工单位签字： 年　月　日	

注：1　检测报告应另附。

2　各检测项目下，可根据所签订合同中的实际系统技术性能数量延伸表格。

附录C 工程竣工验收记录

C.0.1 工程竣工资料验收时应按表C.0.1填写工程竣工资料验收审查表。

表C.0.1 工程竣工资料验收审查表

工程名称			
序号	审查内容	审查情况	
		合格	不合格
1	设计任务书		
2	工程合同		
3	工程初步设计论证意见及设计、施工单位与建设单位共同签署的深化设计意见		
4	系统原理图、平面布置图及设备器材配置清单、管线图、控制室布局图等的设计图纸和设计变更通知单		
5	主要设备、器材的检测报告或认证证书		
6	系统试运行报告		
7	工程竣工报告		
8	系统使用说明书		
9	工程竣工核算报告		
10	工程初验报告		
11	工程检验报告		
审查结论			
审查组人员签字	年 月 日		

C.0.2 系统验收后应按表 C.0.2 填写工程竣工验收结论汇总表。

表 C.0.2 工程竣工验收结论汇总表

<table>
<tr><td>工程名称</td><td></td><td>编号</td><td></td></tr>
<tr><td>建设单位</td><td colspan="3"></td></tr>
<tr><td>监理单位</td><td colspan="3"></td></tr>
<tr><td>设计单位</td><td colspan="3"></td></tr>
<tr><td>施工单位</td><td colspan="3"></td></tr>
<tr><td>施工质量验收结论</td><td colspan="2"></td><td>验收人签字：
年 月 日</td></tr>
<tr><td>技术性能、指标检测结论</td><td colspan="2"></td><td>检测人签字：
年 月 日</td></tr>
<tr><td>资料审查结论</td><td colspan="2"></td><td>审查人签字：
年 月 日</td></tr>
<tr><td>工程验收结论</td><td colspan="3">
验收小组组长签字： 年 月 日</td></tr>
<tr><td colspan="4">建议与要求：</td></tr>
<tr><td>建设单位签字：
年 月 日</td><td>监理单位签字：
年 月 日</td><td>设计单位签字：
年 月 日</td><td>施工单位签字：
年 月 日</td></tr>
</table>

本规范用词说明

1　为便于在执行本规范条文时区别对待，对要求严格程度不同的用词说明如下：

1）表示很严格，非这样做不可的：

正面词采用“必须”，反面词采用“严禁”；

2）表示严格，在正常情况下均应这样做的：

正面词采用“应”，反面词采用“不应”或“不得”；

3）表示允许稍有选择，在条件许可时首先应这样做的：

正面词采用“宜”，反面词采用“不宜”；

4）表示有选择，在一定条件下可以这样做的，采用“可”。

2　条文中指明应按其他有关标准执行的写法为：“应符合……的规定”或“应按……执行”。

引用标准名录

《电气装置安装工程电气设备交接试验标准》GB 50150
《电气装置安装工程电缆线路施工及验收规范》GB 50168
《电气装置安装工程接地装置施工及验收规范》GB 50169
《建设工程施工现场供用电安全规范》GB 50194
《建筑装饰装修工程质量验收规范》GB 50210
《建筑内部装修设计防火规范》GB 50222
《通风与空调工程施工质量验收规范》GB 50243
《电气装置安装工程　低压电器施工及验收规范》GB 50254
《制冷设备、空气分离设备安装工程施工及验收规范》GB 50274
《建筑电气工程施工质量验收规范》GB 50303
《综合布线系统工程设计规范》GB 50311
《综合布线系统工程验收规范》GB 50312
《民用建筑工程室内环境污染控制规范》GB 50325
《建筑物电子信息系统防雷技术规范》GB 50343
《建筑内部装修防火施工及验收规范》GB 50354
《视频显示系统工程技术规范》GB 50464
《红外线同声传译系统工程技术规范》GB 50524
《视频显示系统工程测量规范》GB/T 50525
《建筑物防雷工程施工与质量验收规范》GB 50601
《通风与空调工程施工规范》GB 50738
《电子会议系统工程设计规范》GB 50799
《厅堂扩声特性测量方法》GB/T 4959
《施工现场临时用电安全技术规范》JGJ 46

中华人民共和国国家标准

电子会议系统工程施工与质量验收规范

GB 51043 - 2014

条 文 说 明

制订说明

《电子会议系统工程施工与质量验收规范》GB 51043—2014，经住房城乡建设部2014年12月2日以第658号公告批准发布。

本规范按照实用性、先进性、合理性、科学性、可操作性、协调性、规范化等原则制定。

本规范制订过程中，编制组进行了深入调查研究，总结了国内同行业的实践经验，同时参考了国外先进技术法规，广泛征求了国内有关设计、生产、研究等单位的意见，最后制定出本规范。

为便于广大设计、施工、科研、学校等单位有关人员在使用本规范时能正确理解和执行条文规定，《电子会议系统工程施工和验收规范》编制组按章、节、条顺序编制了本标准的条文说明，对条文规定的目的、依据以及执行中需要注意的有关事项进行了说明，着重对强制性条文的强制性理由做了解释。但是，本条文说明不具备与标准正文同等的法律效力，仅供使用者作为理解和把握标准规定的参考。

目　　次

1 总　　则

1.0.3 电子会议系统工程施工中所使用的材料同样应符合现行国家标准《电子会议系统工程设计规范》GB 50799 中第 1.0.4 条的规定。并且，电子会议系统的施工还要依据现行国家标准《厅堂扩声系统设计规范》GB 50371、《视频显示系统工程技术规范》GB 50464、《红外线同声传译系统技术规范》GB 50524 、《综合布线系统工程设计规范》GB 50311、《电子信息系统机房设计规范》GB 50174、《视频显示系统测量规范》GB 50525 、《厅堂扩声特性测量方法》GB/T 4959、《综合布线系统工程验收规范》GB 50312 、《智能建筑工程施工规范》GB 50606。

2 术语和缩略语

2.1.4 菊花链式会议讨论系统中会议单元传声器可供代表和主席分散或集中控制。工作原理图如下：

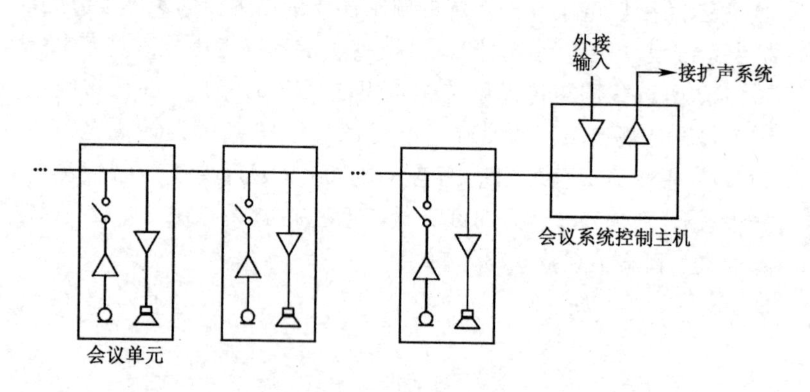

图 1 菊花链式会议讨论系统

2.1.5 星型式会议讨论系统中传声器采用集中控制方式。工作原理图如下：

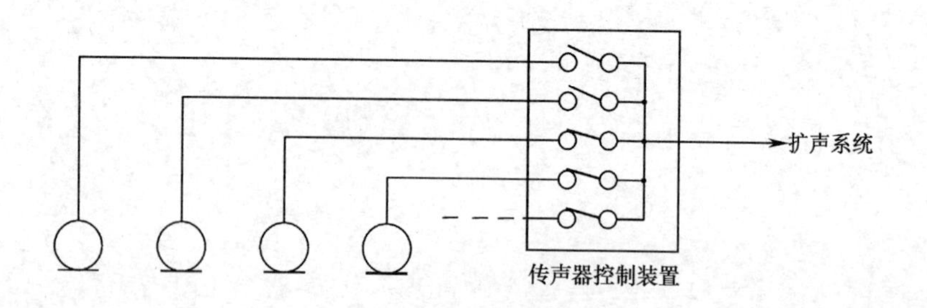

图 2 星型式会议讨论系统

3 基本规定

3.0.1 为保证工程质量，建设单位可根据工程规模、工程难易程度选择具有相应行业施工资质等级的施工单位承担。

4 施工准备

4.1 一般规定

4.1.4 施工机具通常需要用到切割机、弯管器、电钻、砂轮机等，仪器仪表有数字万用表、信号源、示波器、信号发生器、失真度测量仪、频谱仪、声压计、照度测试仪、兆欧表等专用测试仪器等。

4.2 施工资料要求

4.2.2 设计说明应包括工程概况、用户需求分析、设计依据、设计指导思想、设计原则、建设总体框架方案、系统建设规模及建设水平与目标、各系统实施方案、系统主要设备与材料配置方案、布线方案和施工注意事项等。设备平面图应标明设备位置、型号规格、数量、编号；管线平面图应标明管线的位置、规格、数量、标高以及敷设方式等。

4.2.3 施工组织设计应包括编制依据、施工项目组人员构成、施工方法和工艺、关键工序和复杂环节的技术措施、施工用机械设备与材料的配置计划、劳动力计划安排、系统连线图、施工图、管线图、设备安装位置图、安装大样图、控制室设备布局图、质量保证措施、安全生产保障措施、施工进度计划及保障措施等内容。

4.2.4 应明确会审和批准单位及人员，形成书面文件。

4.3 设备及材料进场检验

4.3.3 如果设备出厂包装中，出具相应检测报告，可以视同此项内容已检测，待系统调试发现问题时，再由国家相关部门认可的专业检测机构进行检测。现场可只进行简单的开关机，功能性检查。

4.3.6 技术文件资料至少应包括程序结构说明、安装调试说明、使用和维护说明书。

4.4 安全文明与环境管理

4.4.1 本条说明如下：

6 本条款为强制性条款，强条内容涉及高空作业人身安全，工程实施全过程务必予以执行到位，以求保证施工人员的安全，杜绝人身伤亡事故。安全措施有：在高空安装大型设备时，必须搭设脚手架；高空作业时，施工人员必须正确佩戴安全带。

8 本条款为强制性条款，强条内容涉及对各种电动机械设备和传动部分的有效保障人身、设备安全措施即设备必须可靠安全接地、传动部分必须加装防护罩，工程实施全过程务必予以执行到位，以求保障系统可靠、安全、正常运行和人身、设备的安全，消除安全隐患。

9 本条款为强制性条款，为确保电子会议系统工程安全施工及运维中系统可靠、安全、正常运行，有效降低因常用电动工具未单独设置防触电剩余电流保护开关所造成的人身、财产损失，消除安全隐患。

5 管线施工

5.2 管线敷设

5.2.2 本条说明如下：

3 本条款为强制性条款，规范了："线缆布放后，敷设在竖井内和穿越不同防火分区墙体与楼板的穿管管路孔洞及线缆的空隙处必须进行防火封堵。"

本条款引自现行国家标准《建筑设计防火规范》GB 50016 第6.2.9条第3款，原文为强制性条款，规定："建筑内的电缆井、管道井应在每层楼板处采用不低于楼板耐火极限的不燃烧体或防火封堵材料封堵。建筑内的电缆井、管道井与房间、走道等相连通的孔隙应采用防火封堵材料封堵。"

5.2.5 本条说明如下：

1 应将导管、槽盒内积水及杂物清理干净，导管、槽盒口光滑无毛刺，畅通无阻，穿管应具备拉线装置。

2 对于不同的线缆应使用不同的绝缘检测方式，并应合理选择兆欧表的测量电压，或使用专用的线缆测试仪进行测试。

14 线缆垂直排列或倾斜坡度超过45C°时的每个横档上需做固定，线缆水平排列或倾斜坡度不超过45C°时，每隔1个～2个横档上需做固定。

17 敷设的线缆弯曲时的弯曲半径参照综合布线系统对绞线缆、光缆的弯曲半径如下：非屏蔽4对对绞电缆的弯曲半径应至少为电缆外径的4倍；屏蔽4对对绞电缆的弯曲半径应至少为电缆外径的8倍；主干对绞电缆的弯曲半径应至少为电缆外径的10倍；光缆的弯曲半径应至少为光缆外径的10倍；在施工过程中的光缆弯曲半径不应小于光缆外径的20倍。

5.2.6 本条说明如下：

4 裸露线头长度过长，在使用过程中接续处容易断开或折断其中绞线，影响系统正常运行。如果裸露部分不进行恢复性屏蔽处理，将影响屏蔽效果。

8 现行国家标准《综合布线系统工程验收规范》GB 50312 第6.0.4条第4款规定，光纤连接损耗值，应符合表1的规定。

表1 光纤连接损耗值(dB)

连接类别	多模		单模	
	平均值	最大值	平均值	最大值
熔接	0.15	0.3	0.15	0.3
机械连接	—	0.3	—	0.3

5.2.7 本条说明如下：

7 ϕ2.5mm、ϕ3.5mm、ϕ6.3mm的插头通常作为非平衡输入连接传声器与调音台、放大器。

3芯的“卡侬”插座用于专业音响设备的连接，通常用于平衡输出、平衡输入。

莲花插头通常用于1V标准音频信号在调音台、功放、卡座、调谐器等各种设备之间连接。

5芯的DIN插头用于调音台与输入设备(录音机、CD)立体声双声道的连接。

BNC、RCA插头用于连接视频信号。

F、M型插头用于连接射频信号。

8 音频信号设备指调音台、媒体矩阵及功放等。

5.2.8 本条说明如下：

4 会议传声器到调音台或前置放大器距离小于10m，可选用单芯屏蔽线缆非平衡连接，当传声器到调音台或前置放大器距离大于10m时，就应选用双芯屏蔽线缆平衡连接。

5.3 管线施工随工查验

5.3.2 本条说明如下：

3 包括线缆对桥架、管道间的绝缘电阻值、线间和线对地间的绝缘电阻值。综合布线线缆应合理地选择兆欧表的测量电压，或使用专用的线缆测试仪进行测试。

4 100V以下的电气设备或线路,应使用250V兆欧表;100V～500V的电气设备或线路,应使用500V兆欧表。

6 设备安装

鉴于会议讨论系统、会议同声传译系统、会议表决系统、会场出入口签到管理系统、会议扩声系统、会议显示系统、会议摄像系统、会议录播系统和会议集中控制系统设备会因各工程情况不同，放置位置有所不同。为此，以上各系统设备安装内容分别归纳在各相应章节中予以规定和要求。

6.1 一般规定

6.1.2 本条说明如下：

1 对进场设备及线缆等材料进行复查，主要是指设备与线缆名称、型号、规格、数量和产地应符合设计要求，外观应完好无损。技术材料、配件和性能检测报告应齐全并应具有出厂合格证件。

6.2 会议讨论系统

6.2.4 本条说明如下：

1 嵌入式会议单元安装应符合下列规定：

1)同时需要考虑到预留检修空间。

2 移动式安装的有线会议单元之间连接的线缆根数与长度应根据设计要求或会议室开间大小及会议单元可移动范围留有一定余量。

3 菊花链式会议讨论系统中，会议单元的安装应符合下列规定：

2)每路线缆连接的会议单元总功耗及延长线功率损耗之和小于会议系统控制主机接口的功率。增加延长线线缆后，线缆长度超过规定长度时，应在规定长度以内加接中继器。

6.2.5 本条说明如下：

1 无线会议系统中，信号收发器的供电电压一定要稳定。如电压不稳，应增加UPS电源或稳压器。信号收发器的供电线路上不得接其他用电设备。如果信号收发器由会议系统控制主机供电，则应确保会议系统控制主机的供电电压稳定。

3 红外线会议讨论系统中，红外线会议单元和红外线信号收发器的安装应符合下列规定：

2)如果红外信号工作区出现重叠，会议单元可从两个或多个收发器接收红外信号。由于存在重叠效应及多径效应，若信号相位相同，则会增强信号接收强度；若相位相反，则会减弱信号接收强度。要避免多径效应，应保证各个收发器到主机之间的线缆长度相等。

4 安装射频会议讨论系统设备时，还应符合下列规定：

2)大面积金属物品，金属网格型的货架、电子存包柜，以及点钞机、打卡机、微波炉等这些电器设备都会对射频会议系统的天线产生干扰。形成圈状的金属线圈对天线易产生干扰，特别是金属网格线对天线的干扰特别大，应特别检查安装现场的网格线。若安装现场有吊顶，应检查吊顶上有无金属线圈。

6.2.6 本条说明如下：

2 安装位置根据现场条件，以便于使用操作为准。

6.3 会议同声传译系统

6.3.4 有线会议同声传译系统设备的安装应符合下列规定：

4 同声传译室的安装除应按现行国家标准《红外线同声传译系统工程技术规范》GB 50524 的有关规定外，尚应符合下列规定：

1)当同声传译室距主席台较远或其他原因看不清发言人口型时，同声传译室内宜配置监视器。

6.4 会议表决系统

6.4.1 无线表决系统和有线表决系统的设备安装都包括表决器、会议表决主机和系统管理软件的安装。

6.5 会场出入口签到管理系统

6.5.1 签到卡目前普遍通用的有IC卡、电子标签。

6.5.5 会议签到管理软件分客户端软件和服务器端软件。客户端软件安装在签到主机中,服务器端软件安装在签到管理计算机中。

6.6 会议扩声系统

6.6.1 会议扩声系统设备的安装应包括声源设备、音频处理设备和扩声设备的安装。

6.6.2 本条说明如下:

2 本条款为强制性条款,如果建筑结构的承重不足以承受音箱的重量,音箱就会坠落,必然要造成人身伤害及财产损失,因此,为确保人身及财产的安全,就必须要求施工单位检查建筑结构的承重能力,经原建筑设计单位确认后进行施工。

5 建筑装饰物为网孔材料,通过网孔向外透声。音箱的正面应尽可能地靠近装饰物,但不能接触装饰物,防止产生共振或共鸣。

10 集中式音箱组合是几个乃至几十个高音、低音音箱组装成的扩声群体,吊装在会议室中央,要求安装严格,固定牢固,安全可靠。

6.6.3 箱体指除音箱外的其他设备箱、盒及柜体。

6.7 会议显示系统

6.7.1 显示设备可有交互式电子白板、显示器、投影机、投影幕等。

6.7.4 使用专用手套可以保持显示屏幕的光洁。

6.7.6 设备和显示屏幕的安装位置应根据项目实施过程中现场复核的最终尺寸及家具摆放位置进行必要的测算和微调，以满足观看者的需要。

6.7.7 本条说明如下：

4 可以使用鱼线、专用胶或钢丝线进行对接缝合。

6.7.10 本条说明如下：

3 现行国家标准《视频显示系统工程技术规范》GB 50464 中规定：甲级系统的表面平整度应不大于 0.5mm，乙级系统的表面平整度应不大于 1.5mm，丙级系统的表面平整度应不大于 2.5mm。

6.7.11 本条说明如下：

3 并需要考虑到预留检修空间。

6.7.12 电视型显示设备安装时应符合下列规定：

1 应根据会议室的净高和使用要求而定，在不妨碍人员通行的位置应更多考虑观者的舒适度要求。

6.7.18 此种情况下，显示设备应存放 6h 后，再进行设备安装作业。拼接显示系统的显示单元在打开包装后，应存放 1h 后，再进行设备安装作业。

6.8 会议摄像系统

6.8.3 如果摄像机距离控制室或弱电竖井的距离不超过 20m，为了美观和检修方便，也可以将编码器放在控制室或者固定在竖井内。

6.10 集中控制系统

6.10.4 无线控制器应尽量放置在高处，确保操作空间内无线信号无遮挡。

6.10.5 集中控制设备安装在机柜上部是为了便于无线控制信号的传输。

7 会议室、控制室施工安装

7.1 一般规定

7.1.7 本条为强制性条文。非会议室、控制室自身需要安装的设备、材料不宜存放在本房间;装修材料燃烧等级应当符合设计及规范要求;施工现场使用易燃易爆物的必须有专人负责管理,建立健全领退登记制度,使用时不得超过当天用量,存放不得靠近火源和热源。

7.2 装修工程施工安装

7.2.11 本条说明如下:

1 控制台是控制室的主要设施之一,需经常操作的各类键盘、控制开关及经常操作的设备都布置在台面上,因此控制台的形式不但要考虑各设备的排布,还要方便操作,满足人体工程学需要,控制台的布局、型式可参照国家标准《电子设备控制台的布局、型式和基本尺寸》GB/T 7269—2008。

8 控制台及机柜的安装位置避开风口、管道等,以避免冷凝水或漏水等对设备造成损坏。

7.3 空气调节系统施工安装

7.3.3 本条说明如下:

5 变冷媒流量多联系统,即控制冷媒流通量并通过冷媒的直接蒸发或直接凝缩来实现制冷或制热的空调系统。变冷媒流量多联商用分体式空调由室外机、室内机和冷媒配管三部分组成。一台室外机通过冷媒配管连接到多台室内机,根据室内机电脑板反馈的信号,控制其向内机输送的制冷剂流量和状态,从而实现不同空间的冷热输出要求，具有节能、舒适、运转平稳等诸多优点，而且各房间可独立调节，能满足不同房间不同空调负荷的需求。

6 商用分体空调或空调设备安装完毕后进行氮气压力测试24小时以上，并做记录。压力测试值根据产品及冷媒种类遵照厂家要求或相关规范。使用冷冻水的空调设备末端，安装完毕后进行系统管路压力检测，压力检测值应大于或等于设计运行压力1.5倍，压力试验合格后对系统管路进行清洗后运行。

8 系统调试

8.1 一般规定

8.1.1 系统设备的型号及安装位置应符合设计要求。

8.1.2 系统线缆规格与型号应符合设计要求，没有虚接、错接、漏接和短路现象，插接件应牢固，焊接应无虚焊和毛刺，施工质量检验应合格。

8.1.3 系统设备的电压、极性、相位等应符合设计要求。

8.1.4 系统开通前必须首先确认设备本身不存在问题和故障。

8.1.5 通电前应将各设备开关、旋钮置于规定位置。

8.1.6 会议系统的调试应按先设备后系统的顺序进行。

8.1.7 测量出各系统单独运行和总体运行时供电线路各线相电流：可以利用钳流表对各相线分时间、分运行设备的数量分别测量，如果发现实际测量值与理论值有较大差距，或各相电流分配比例差距较大，或者供电线路电流有超常现象，必须重新进行整改，以保证用电安全。

(1)检查系统各设备在满负荷运行和长时间运行时的工作稳定性：会议传声器声道音质的变化，会议讨论主机控制性能变化及稳定性情况，各设备长时间工作时产生的噪声情况等。

(2)检查系统各设备在满负荷运行和长时间运行时的发热情况：系统在运行中肯定会有不同程度的发热，特别是供电线路和设备的发热状况，将直接关系到系统的安全性，因此应该引起高度重视。

(4)调试结果和问题的记录

1)调试的结果应包括：设备的位置编号、设备的设定状态、调试时的测试数据，相关程序编辑的信息等；

2)记录的问题应包括:设备工作环境的问题、设备干扰的问题、设备运行状况的问题、与会议讨论工作无关但影响系统运行的问题等。

8.1.8 系统设备调试过程应按本规范附录A中的表A.0.5填写系统设备调试记录。

8.1.9 系统联调过程应按附录A中的表A.0.6填写系统调试报告。

8.2 会议讨论系统

8.2.1 本条说明如下:

3 发言申请管理模式,也称"APPLY"模式,即,任一代表需要发言时,需先按下其会议单元上的"请求发言"按钮,由系统中具有控制功能的主席单元或操作人员批准或否决代表发言申请。

自由讨论模式,也称"OPEN"模式,即,在没有达到系统的发言人数限制前,每一代表可通过按下传声器开/关键自由进行发言,超过系统的发言人数限制后,需自动排队和按顺序接通。

单一代表发言模式,指发言人数限制为1个的"OVERRIDE"模式。代表按下传声器开/关键即可进行发言,同时将正在发言的代表传声器越权关闭。

根据设计要求,还可能有其他工作模式,如声控模式、PTT(Push to Talk)模式(即代表按着传声器开/关键开启传声器发言,松开后传声器即关闭)等,应根据设计要求进行调试。

8.5 会场出入口签到管理系统

8.5.1 智能卡管理和识别代表身份包括会议签到数据采集、数据统计和信息查询等。

8.6 会议扩声系统

8.6.1 本条说明如下:

1 音响设备开机顺序应按由前到后顺序开机，即由音源设备(CD机、LD机、DVD机、录音机、录像机)、调音台、音频处理设备(压限器、激励器、效果器、分频器、均衡器等)，最后到音频功率放大器。关机时顺序正好相反。这样操作可以防止开、关机对设备的冲击，防止烧毁功放和音箱。

2 扩声设备须按设计要求安装完毕，并调整扩声系统，使之处于正常工作状态。

3 如有调音台、均衡器或音频处理器等设备，需要进行系统最佳补偿调整。

4 调试时，扩声系统中调音台的多频补偿置于正常工作状态，功率放大器若有音调补偿时，应置于正常位置。

5 厅堂内被测点的声压级至少应高于背景噪声15dB。混响时间及再生混响时间测量时信噪比至少应满足35dB。

6 各项调试可在空场或满场条件下进行。

8.6.2 本条说明如下：

1 扩声系统开启后，应先使用音频测试信号检查各通路是否通畅。

2 应将音频测试信号或节目源信号馈入系统输入端，按各通路分别检查相应音箱扩声是否正常，是否有机械振动声音。中断音频信号和节目源信号后，音箱应无明显本底噪声和交流声。

3 应使用两只传声器同时拾音分别馈入系统两路信道，接入相位仪检查传声器输入相位是否一致。

4 应检查各个设备的功能键，操作或控制按键均应准确、灵敏，信号显示正常。

5 传声器：对于传声器的调试一般要分类进行，人声、乐器用的有线传声器通常需要日常使用者配合完成，调试时需要了解使用者、各乐器最适合的传声器型号和使用距离，音质好，没有可闻的线路噪声即可；而无线传声器需要注意天线的位置是否合理，传声器使用时的死点和反馈点要足够少，并详细对位置作好记录，接收机的信号增益适当，噪声抑制的微调旋钮要反复调试等。

均衡器的调试：将噪声发生器和均衡器接入系统，准备好频谱仪，按照国家有关厅堂扩声质量测试要求，将频谱仪设置在相应的地方。然后以适中的音量对粉红色噪声信号扩声，在 20Hz～20kHz 的音频范围内，细微调节均衡器的各个频点，在保持音量一致的前提下，使得频谱仪显示的房间频响曲线在各个测试点处基本平直，并且记录好均衡器各频点的位置。同样在音量较小和额定的音量下，再对均衡器进行调试，并做好记录，最后将这些记录好的均衡器频点进行相应的折中处理，再利用频谱仪的高一级的档位进行测试，适当修正后就可以确定好均衡器的频点位置了。需要注意的是：在进行均衡器的调试时，调音台的频率均衡点一定要在 0dB 处，其他周边处理设备要处在旁路状态。另外，考虑到普通人的听音习惯，可以将均衡器 10kHz 以上的信号适当做一些衰减。

效果器的调试：对于效果器的调试工程要求都不严格，只要将信号的输入和输出增益调试合理，保证有一定的余量，并且将混响时间和延时量限制在一定范围，以免影响语言的清晰度和信号的连续性即可。

压限器的调试：一般要在其他设备调试基本完成后再进行。压缩比在一般的工程中设定为 4∶1 左右。在设定压限器上的噪声门时，如果系统没有什么噪声，可以将噪声门关闭，如果有一定的噪声，可以将噪声门的门槛电平设置在比较低的位置，以免造成信号断断续续的现象。

分频器的调试：将电子分频器接入系统，进行分频器的调试。对于仅作为低音音箱分频的分频器，可以在均衡器调试结束后，让低音系统单独工作，将分频器的分频点按照音箱厂家推荐的分频点进行设定，适当调整低音信号的增益，感觉音量适合即可，然后与全频系统一同试听，平衡低音和全频音量；对于作为全频系统的分频器，一定要参照音箱厂家推荐的分频点进行设定，然后反复调整各频段信号的增益，直到听感比较平衡后，再参照后面的声压级测试对增益做进一步的微调即可。

8.7 会议显示系统

8.7.3 本条说明如下：

1 确认电源连接是否正确包括需要确认供电系统的电源电压是否符合设计要求，电源极性连接是否正确。

8.9 会议录播系统

8.9.4 信号接口指各类与会议录播系统相关的各类音视频接口。

8.10 集中控制系统

8.10.4 对会议扩声系统的电源开关控制应遵守会议扩声设备的开关顺序要求。

8.10.5 本条说明如下：

(1)会议扩声系统：静音、音量调节。

(2)会议显示系统：显示模式的切换、显示通道的切换、矩阵的切换。

(3)会议摄像系统：可控云台摄像机的控制、位置预设。

(4)会议录播系统：开启录制、暂停录制、停止录制、开启和关闭直播/组播。

(5)会议室环境控制：灯光的开关及亮度调节、电动窗帘的开启和关闭。

(6)会议讨论系统：传声器的开/关控制。

(7)会议表决系统：表决控制及表决结果显示等。

8.10.7 回显功能是指在控制界面上能够看到被控设备的当前工作状态，例如：如果设备已开机，该设备的开启按钮即显示为灰色。这要求集中控制系统采用双向控制方式。

8.11 会议室、控制室

鉴于会议讨论系统、同声传译系统、会议表决系统、签到管理系统、会议扩声系统、会议显示系统、会议摄像系统、会议录播系统和集中控制系统的调试一并归纳在各相应章节中予以规定和要求。

8.11.1 空气调节系统调试应符合下列规定：

2 空气调节系统设备包括空调设备和新风设备。

9 系统试运行

9.0.2 会议讨论、会议同声传译、会议表决和会场出入口签到管理系统试运行时间不宜低于30h，是指累计运行时间不低于30小时。会议扩声、会议显示、会议摄像、会议录播系统和集中控制系统试运行时间不宜低于30天，是指如果用户的实际使用时间是每天8小时，那么试运行时间可以进行累计计算不少于30天；如果用户的实际使用时间是连续7天×24小时，则试运行时间也应是不少于30天的不间断运行。

9.0.4 系统试运行报告应经过建设单位、监理单位的审核。

9.0.5 系统值勤、操作和维护管理制度可由设计、施工单位配合建设单位完成。

10 工程质量检测

10.1 一般规定

为保证工程质量检测工作的合法性、有效性和真实性，检测单位应具有国家相关检测资质认定证书和认可证书。

10.4 性能检测

10.4.1 对于某些工程前期未签订合同，并且，没有技术指标要求的，可以依据现行国家标准《电子会议系统工程设计规范》GB/T 50799 对会议系统技术指标进行客观测量，作为工程竣工验收依据。